Voor mam, pap, Allison, Nancy en oma
met liefde

William Conescu

Ik wil geschreven worden

Vertaald door Elinor Fuchs

ARENA

Oorspronkelijke titel: *Being Written*
© Oorspronkelijke uitgave: 2008 by William Conescu
© Nederlandse uitgave: Arena Amsterdam, 2009
© Vertaling uit het Engels: Elinor Fuchs
Omslagontwerp: Roald Triebels
Foto voorzijde omslag: Nonstock / Imagestore
Foto achterzijde omslag: Chris Hildreth
Typografie en zetwerk: CeevanWee, Amsterdam
ISBN 978-90-8990-014-2
NUR 302

Ik wil geschreven worden

'Tja, wat moet je anders als meisje?' zegt ze tegen de barman met een overdreven lachje. En het is niet de vraag die
je aandacht trekt naar de jonge vrouw alleen aan de bar, of
het gelach, dat duidelijk niet oprecht is, maar dat krassende
geluid. Het gekras van een potlood. Niet jouw potlood,
want dat heb je neergelegd. En de barman staat alleen naar
de vrouw te luisteren, hij is niet iets aan het opschrijven.
Het café is verder uitgestorven. Nog net zo leeg als een half
uur geleden, toen je in een van de grenen zithoeken schoof.
Maar het gekras... het komt uit haar hoek van de bar. Is het
net begonnen of is het je op de een of andere manier ontgaan toen je binnenkwam? Zonder erbij na te denken loop
je in de richting van de bar, in de richting van haar en het
geluid, en inderdaad, het gekras wordt luider. Het concentreert zich rond haar, blijft bij haar wanneer de barman
wegloopt, hangt in de lucht om haar heen terwijl ze stil
naar haar martini staart. Er is geen twijfel mogelijk. Dit is
het gekras van het potlood van de auteur. Ze wordt geschreven.

   'Kan ik u helpen?' vraagt de barman.

   Je laat je blik van de vrouw naar hem gaan. Hoe lang sta
je hier al te luisteren? Je kijkt terug naar de zwarte korte
krullenbos van de vrouw, dan naar hem. Je zou iets te drinken kunnen bestellen, maar je hebt nog een vrijwel vol glas

bier op tafel staan. Dat is vanaf hier te zien. Toch ben je een verklaring schuldig.

'Ehm.'

Vaak komt er na 'ehm' vanzelf een uitleg, maar er wil je niets te binnen schieten. Het gekras leidt nogal af. De vrouw draait zich naar je om, en nu staren ze allebei naar je, afwachtend, en je voelt je gezicht rood aanlopen, je oren, je hals. Waarom kun je niet gewoon iets zeggen? Je bent eindelijk weer eens in een boek beland. Je hebt drie jaar zitten wachten op een nieuwe kans. Ditmaal zou je een echte dialoog kunnen voeren als je gewoon je mond zou opendoen. Gewoon zou spreken. Gewoon zou zeggen...

'Kan ik misschien een potlood lenen?' Je blik gaat van de een naar de ander, blijft dan rusten op de vrouw.

'Ja hoor,' zegt ze voordat de barman antwoord kan geven.

Ze grist een grote zwarte gemacramede tas van de barkruk naast zich en begint erin te graaien.

'Mijn potlood heeft het begeven,' lieg je. 'Sorry.'

'Geen probleem,' zegt ze, met haar hoofd nog steeds in de tas. Ze lijkt een jaar of vijf jonger dan jij, ergens halverwege de twintig, en haar huid steekt uitgesproken bleek af tegen haar donkere haar en korte zwarte jurk. Vanaf jouw plek zag haar jurkje er best elegant uit, maar van dichtbij zie je dat het van gebreid katoen is en onder de pluisjes zit. 'Daar is-ie dan,' kondigt ze eindelijk aan, terwijl ze je met een schalks lachje een potlood aanreikt.

'Dank je,' zeg je, wachtend op verdere inspiratie. Maar er komt niets, dus ga je terug naar je plek.

Wat is het waarmee ze de aandacht van de auteur heeft getrokken? Hoe ver is dit boek, vraag je je af, en hoe ga je er vaste voet in krijgen? Man-die-pen-leent is nauwelijks beter dan naamloze, stille gestalte die op de achtergrond wat drinkt. Als je jezelf dit verhaal wilt binnenwerken, zul je meer moeten doen. Denk na.

Een minuut gaat voorbij. Twee. Maar je volgende zet is moeilijk te bepalen. Niet iedereen met een bijzondere vaardigheid weet vanzelf hoe die het best in te zetten. Sterker nog, toen je op je eenentwintigste voor het eerst ontdekte dat jouw hele wereld niet meer dan de verbeelding van een auteur is en dat je over het uitzonderlijke vermogen beschikt het te horen wanneer de auteur toevallig over iemand in je buurt schrijft... nou, wat moest je daar in godsnaam mee? Het heeft iets ontmoedigends. Een soort van volwassen equivalent van erachter komen dat Sinterklaas niet bestaat. Of erger. Veel erger. Want als je slechts dient als decorvulling en om de wereld te voorzien van een infrastructuur zodat het leven van anderen kan worden geschreven, kan je eigen leven nogal zinloos overkomen. Maar 's ochtends moet je toch wakker worden, naar je werk gaan, rekeningen betalen, je tijd vullen. Pas nadat je in een paar boeken gefigureerd had, begon je je af te vragen of je niet een grotere rol kon vervullen in het verhaal.

Dus sloeg je aan het lezen. Je las stapels romans om erachter te komen wat je moest doen om een ordentelijke rol te krijgen, misschien zelfs ooit de hoofdpersoon te worden. Maar je beschikt niet over een eindeloos aantal airmiles of de vaardigheid bommen onschadelijk te maken of slangen te bezweren. Je hebt geen zoon die niet voor het honkbalteam kan worden gekozen, geen baan waar je veel mee verdient maar die toch niet je drukke schema in de weg staat, geen computer met toegang tot de databank van de FBI en niet overal ter wereld vrienden die bij je in het krijt staan. Je bent als kind niet mishandeld, hoefde geen enorme hindernissen te nemen om daarna geconfronteerd te worden met nog grotere. Je hebt geen duister verleden, prachtige toekomst, zuiver hart, grote geest, strakke kaaklijn, sensuele minnares of pistool. Waarom zou de auteur zich op jou richten?

Dus ben je aan de slag gegaan. Je zat in het atletiekteam van Boston University en houdt je conditie bij met een paar keer per week hardlopen op de sportschool, of buiten als het niet te koud is. Je zou iemand die je aanvalt eruit kunnen lopen, in een half uur acht kilometer kunnen rennen om een geheim tegengif af te leveren. Je hebt een tijdje op karate gezeten en het tot de groene band geschopt. Je hebt je ogen laten laseren – wilde niet dat een bril je zwakke plek zou worden. Je speelt met de gedachte een pistool te kopen en naar een schietterrein te gaan, maar daar heb je nog geen tijd voor gehad. Maar hoewel je les kunt nemen om te leren schieten of karate onder de knie te krijgen of een spraakgebrek te overwinnen, een cursus charisma bestaat niet. Dus iets verzinnen om tegen deze vrouw te zeggen – die best knap is en waarschijnlijk te hoog gegrepen – is nog niet zo eenvoudig.

'Mag ik bij je komen zitten?'

Ze staat naast je met in haar hand een roze martini. Je hebt haar niet eens op je af zien komen.

'Ik ben Delia Benson,' gaat ze verder, terwijl ze met een prettig, retorisch 'Vind je 't goed?' tegenover je gaat zitten.

'Daniel Fischer,' zeg je, terwijl je je potlood van de tafel schuift. Dat heeft het zogenaamd begeven; naast je op de bank breek je de punt af.

'Zo, Daniel,' zegt ze, 'ik woon zowat in Lilly's, maar ik geloof niet dat ik jou hier al eens heb gezien.'

Je kijkt op en je blik glijdt langs de olieverfschilderijen die hier en daar tussen de neon bierreclames hangen. 'Nee,' zeg je. 'Ik heb net in Porter Square gegeten met...' Je staat op het punt jezelf te vervelen, daarom laat je de woorden wegsterven, in de hoop dat jullie allebei de valse start kunnen negeren.

'Juist, vandaar. En dat etentje was zo'n succes dat je na afloop vliegensvlug vertrokken bent om even verderop rustig iets te drinken. Vervelend afspraakje?' vraagt ze, met één donkere wenkbrauw opgetrokken. Haar bewegingen hebben iets katachtigs. Ze laat haar armen languit op tafel rusten en volhardt in haar onderzoekende blik tot je weer begint te blozen.

'Nee, ouders,' leg je uit. 'Die kwamen op de terugweg van Atlantic City door Boston en moesten me zo nodig over elk spel in elk casino vertellen.'

'Ik snap dat dan enige smering vereist is,' zegt ze.

Je lacht en neemt een slokje bier om de stilte te vullen, maar dan verslik je je en je begint te proesten. Dus houd je een paar seconden je adem in, maar je voelt hoe je gezicht rood aanloopt terwijl het schuim weer omhoogkomt. En ze kijkt naar je, haar wenkbrauw licht geplooid, en je wenst vurig dat het bier niet je neus uitkomt. Niet nu. Maar het scheelt niet veel, en je zult toch weer adem moeten halen, daarbij is dit moment niet erg bevorderlijk voor het gesprek. Dus hoest je voorzichtig een paar druppels in je hand – druppels slechts, niet veel, niets verdachts – en het gevaar is geweken.

'Gaat het?' vraagt ze.

Je knikt. Je maakt geen overweldigende indruk. Niet bepaald een soepele manier om op de bladzij binnen te komen.

'Weet je het zeker? Je oren zijn helemaal rood.'

'Ja,' zeg je. 'Prima. Dat doen ze wel vaker.' Man-wiens-oren-soms-rood-aanlopen. Ze zouden je een spreekverbod moeten opleggen.

'Je bent dus schrijver?'

De vraag overvalt je voordat haar vluchtige blik op het notitieboekje voor je tot je doordringt. 'Nee,' antwoord je, terwijl je het snel dichtslaat en opzijschuift. 'Nee, da's niets. Ik werk in de marketing.'

'Ik vroeg niet wat voor werk je doet. Als je net als negenennegentig procent van alle mensen bent, zegt wat je voor de kost doet helemaal niets. Zou het niet fijn zijn als we gewoon voor onszelf konden zorgen? Gewoon ons eigen voedsel konden verbouwen – of slachten, een huis bouwen, en dat het daarbij bleef?'

'O, ja,' zeg je. 'Zeker.'

'Niet dat ik echt een huis zou kunnen bouwen, maar ik zou vast kunnen leren tuinieren. Ze zeggen dat het ontspannend is... Ik zou jou kunnen helpen met voedsel verbouwen, en jij zou mijn huis kunnen bouwen. Wat natuurlijk weer het begin van een samenleving is. En dan is het nog maar een paar stappen naar supermarkten en adviesbureaus.'

'Ik werk toevallig bij een adviesbureau.'

'En waarom ook niet?' zegt ze met een luchtig lachje.

Achter je gaat krakend de cafédeur open; ze werpt een blik over je hoofd en neemt dan traag een slok van haar drankje.

'En,' zegt ze, waarbij ze haar hand op die van jou legt,

'vertel me eens wat je schrijft. Is het een roman?'

Je weet eerst niet wat je moet zeggen – je notitieboekje staat vol nutteloze krabbels over de verkoop van computer-processors en financiële dienstverlening – dus houd je het op een vastbesloten 'Min of meer'.

'Ik wil je geen woorden in de mond leggen, hoor.'

'Nee, het klopt,' lieg je. 'Het is een roman.'

'Wat spannend,' zegt ze. 'Ik ben dol op romans. Waar gaat het over?'

Je gunt jezelf even bedenktijd. Zou het kunnen dat de auteur met je speelt? 'Ik ben er nog niet helemaal uit,' zeg je tegen haar.

'Wat is er tot nu toe gebeurd dan?'

'Niet veel. Er is een jongen. Hij is in de dertig.'

'En?'

Je neemt voorzichtig een slokje bier, haalt dan je schou-ders op. 'Zoals ik al zei, ik ben net begonnen. Er is nog niets interessants gebeurd.'

'Dat is de helft van de lol, toch? Je kunt van alles met hem uithalen. Hem in gevaar brengen, hem op een zoek-tocht sturen. Hij zou een heroïnejunk kunnen worden, misschien. Ik heb er twee gekend. Heel afschuwelijk.'

'Ja,' zeg je, 'dat is wel zo. Maar er kan hem ook iets goeds overkomen.'

'Natuurlijk,' zegt ze. 'Het kan alle kanten op.'

Je voelt dat je begint te glimlachen. 'Het heeft iets bevrij-dends om niet te weten waar je heen gaat.'

'Precies. En als het personage of wat hij doet je niet aan-staat, kun je altijd opnieuw beginnen, een spannend iemand bedenken. Het zijn maar woorden. Je kunt er altijd meer maken.'

'Nee,' zeg je tegen haar. Het heeft iets weg van een test. 'Nee, ik hou het op hem.'

'Goed zo. Ga ervoor,' zegt ze op exact dezelfde enthousiaste toon als toen ze je voorstelde het over een andere boeg te gooien. 'Er zal wel een reden zijn waarom je op deze manier bent begonnen. Het gaat vanzelf goed komen.' Dan heft Delia met een ruk haar glas hoog in de lucht, waarbij een flinke scheut van de roze cocktail over haar vingers spat. 'Op de volgende Grote Amerikaanse Roman,' zegt ze.

'Ik hoop het,' zeg jij, terwijl je jouw glas tegen het hare laat klinken.

Misschien komt het door het bier – en de halve fles wijn bij het eten – maar je begint je wat zekerder te voelen, wat opgewonden zelfs. Je zit hier per slot van rekening met een aantrekkelijke vrouw in een leeg café een gesprek te voeren. Het potlood krast nog steeds. Als het niet de bedoeling van de auteur was dat jullie elkaar zouden ontmoeten, is het gesprek in elk geval interessant genoeg om vast te leggen. Gewoon rustig blijven. Misschien leidt dit wel ergens toe.

'Let maar niet op de rommel.'

Delia's appartement is het stadium 'rommelig' reeds lang gepasseerd. Ze moet het een tijd geleden hebben opgegeven. Muren, meubels en vloeren zijn bezaaid met een bonte verzameling foto's, ansichtkaarten, borden, boeken en kledingstukken – waarvan sommige gedragen en aan de kant geschoven, andere zo te zien schoon en in stapeltjes achtergelaten. Een piano met bladderende verf staat pal naast de voordeur, omringd door stapels bladmuziek, een berg strandlakens en een wegkwijnende ficus. Midden in het appartement, naast een bordeauxrode bank, ligt een grote lapjeskat op een groen geruite loveseat – of liever, op een paar kousen, op een tijdschrift, op een gehaakte sprei, op de loveseat.

'Myra!' zegt Delia tegen de kat, die als antwoord haar blik maar niet haar lichaam opricht. 'Ze heet naar *Myra Breckinridge*. Van Gore Vidal? Heb je dat gelezen?'

Je schudt je hoofd.

'Ik moet het zien te vinden, dan kun je het lenen.'

Terwijl ze naar de keuken loopt, verbaas jij je dat ze überhaupt ooit iets kan vinden in deze puinhoop, maar alsof ze je ongelijk wil bewijzen, komt ze bijna direct daarop terug met twee glazen en een fles wijn. 'Achtergehouden voor een slechte dag.'

'Waarom is het zo'n slechte dag?' vraag je.

Maar ze negeert de vraag, zet de twee glazen op de salontafel en draait zich naar je toe met de fles en de kurkentrekker. 'Wil je?' zegt ze, waarna ze je beide overhandigt en zich richt op een stapel cd's op de grond.

Ze heeft je elke deur voor haar laten openhouden – van het café, je auto, het hek voor haar huis. Ze woont een paar minuten van Lilly's vandaan, op de bovenste verdieping van een appartementengebouw in de buurt van Davis Square in Somerville. Toen je aan de overkant van de straat geparkeerd had, bleef ze zelfs wachten tot je het portier voor haar opendeed. Niet dat je het erg vindt. Het is fijn om mee te doen.

Het krassende geluid is je naar het appartement gevolgd, maar Ella Fitzgerald verdoezelt het nu met een snelle scat die door de speakers klinkt. De muziek ontspant en als je van de wijn opkijkt, zie je dat Delia naast je staat. Je biedt haar onzeker een glas aan, ergens nerveus, alsof jij verantwoordelijk bent voor de kwaliteit. Ze neemt een nipje en bestempelt hem direct als 'verrúkkelijk'.

Eigenlijk is hij een beetje zwaar. Een goedkope merlot, maar je neemt een paar flinke slokken voordat je in de dunne kussens van de bank achteroverleunt. 'Zo, dus jij hebt een slechte dag...'

'God, ja. Van een bezoek aan Lilly's met mijn vrienden knap ik meestal op. Maar niemand kon vanavond en het is afschuwelijk om in je eentje thuis gevangen te zitten met een slecht humeur, vind je ook niet? Vooral 's avonds. Problemen worden groter en erg onoverzichtelijk.'

Delia nipt nogmaals van haar wijn, gaat dan in de andere hoek van de bank zitten.

'Wat voor problemen?' vraag je voorzichtig. Misschien sta je op het punt te ontdekken waarom er een boek over haar wordt geschreven. Misschien ben jij daarom wel in het boek, om haar de mogelijkheid te bieden haar problemen te verwoorden.

'Ach, ik weet het niet,' zegt ze. 'Ik ben mezelf niet vanavond. Nou ja, dit ben ik vast ook, maar dit is niet de ik waar ik trots op ben. Snap je?'

Haar ogen zijn zo donker en haar lippen zo uitdagend, zo sensueel.

'Soms heb ik het gevoel dat ik de helft van de tijd kwijt ben met onderhandelingen tussen mijn verschillende ikken – ik, mezelf en mij. Waren het er maar drie! Voor iedereen die je kent, alles wat je doet, moet je iemand anders zijn. Het is moeilijk om gewoon jezelf te zijn. Echt te zijn.' Delia zet haar glas op de salontafel en kijkt je aan. 'Ik vind het geweldig dat je schrijver bent. Ik ben zangeres. Dat is de echte ik. Ik zou in Ella's voetsporen moeten treden, maar je raakt zo gemakkelijk de weg kwijt, weet je?' Ze steekt haar hand uit om je wang aan te raken en je wordt verrast door de kou van haar vingers. 'Zou je even mijn nek willen masseren?' vraagt ze. In haar stem klinkt nog wat droefheid door. 'Alleen even wrijven,' zegt ze, terwijl ze haar rug naar je toe draait. 'Om de knopen los te maken.'

De vraag brengt je van je stuk, hoewel de gedachte om deze vrouw te beminnen uiteraard in je is opgekomen tijdens het korte ritje hiernaartoe. Het is alweer een paar maanden geleden. Vijf – nee, zes eigenlijk. Zonder erbij na te denken leun je naar voren om je wijnglas naast dat van haar op tafel te zetten, maar je handen beven en je morst wijn over je vingers. Waar ga je die nu aan afvegen? Je speurt om je heen naar een servet, dan trekt Delia je hand naar zich toe en likt de druppels van je vingertoppen.

Als ze je hand loslaat, haal je diep adem, je schuift naar haar toe en begint voorzichtig haar schouders te masseren. Haar huid is koel en haar krullen geuren naar bloemenshampoo. Je bent onzeker in je bewegingen, totdat ze zucht: 'Mmm, precies daar.' Je kneedt de plek met je duimen. Het wrijven gaat een nummer lang door en dan nog een voordat Delia zich omdraait, je in de ogen kijkt en zegt: 'Ik zou willen dat we bloot waren.'

De woorden klinken een beetje geforceerd, bijna opgelezen, maar een moment later leunt ze voorover en kust je, haar koude hand grijpt je achter in je nek. Haar lippen zijn plakkerig van de lippenstift, wijn en roze cocktails, en haar adem is warm en zoet. Terwijl Ella 'Nice Work If You Can Get It' brult, duwt Delia je achterover op de bank. Je armen slaan om haar heen en houden haar in de holte van haar rug vast, en zij reikt met een hand naar beneden en trekt je overhemd uit je broek.

Dan volgt een nieuw nummer, en tijdens de onderbreking hoor je op de achtergrond het potlood krassen, voel je de kritische blik van de auteur. Je probeert omhoog te komen om haar hals te kussen, maar botst twee keer met je neus tegen haar kin, en haar haren vallen steeds in je mond. Haar koude vingers op je buik doen je sidderen en je weet dat je je moet ontspannen. Als Delia zich even terugtrekt en vraagt of alles goed is, forceer je een glimlach. Jij zegt: 'Zeker.' Zij zegt: 'Goed zo.'

Lichamen verschuiven. Jurk, overhemd en broek worden uitgedaan. Ella barst los in 'Foggy Day' en je vraagt je af hoe je op de auteur overkomt terwijl je je onhandig over Delia's tengere lichaam buigt. Dit is niet het soort rol dat je jezelf ooit zag spelen. Niet dat het een slechte rol is, maar je stelde je altijd voor dat je een boek binnenkwam tijdens een actiescène: een gijzeling, bankoverval, brand, autoachtervolging. Vrijen doe je gewoonlijk in het donker, buiten de bladzij, zonder publiek.

Delia laat haar hand in je boxershort glijden. 'Komt het doordat zij zit te kijken?' vraagt ze.

Wat?

Delia kijkt naar de kat, die jullie beiden aankijkt met een blik van intense verveling.

Nee, zeg je, nee, alles prima – maar dan verontschuldig je je en ga je naar de badkamer.

Haar wat in de war, voorhoofd klam van het zweet. En toch, in het gedimde licht zijn je sproeten minder opvallend, is je haar niet zo rood en zijn de kleine rimpeltjes rond je ogen bijna niet te zien. Je bent niet de knapste man van de wereld, maar met je eenendertig jaar heb je nog best een jeugdig voorkomen. Je zou kunnen doorgaan voor... nou, negenentwintig, misschien. In elk geval schat niemand je ooit te oud en de vrouwen die altijd voor je kantoor lijken te staan kletsen, hebben je meerdere malen knap genoemd. Op een moederlijke toon, maar zo te horen gemeend.

Door de spleet in de badkamerdeur hoor je tussen twee nummers door weer het potlood krassen in de kamer ernaast. Waarom is dit zo moeilijk? Je zou moeten genieten van je tijd op de bladzij. Het gebeurt niet vaak dat je het pad kruist van een boek dat geschreven wordt, en de enige andere keer dat je een rol van enige betekenis had, kon je er niet van genieten omdat je te afgeleid was door de gedachte dat je doodging. Op dit moment mag je in een boek een mooie vrouw beminnen. Dat is wat de auteur wil laten zien: jou, daar, met Delia. 'Het is een beetje warm,' fluister je. En dan komt de opwinding die je voelde toen ze je vingers aflikte weer terug en voel je je hart bonken.

Als je teruggaat naar de zitkamer, voel je je een andere man, je trekt Delia omhoog in een stevige omhelzing en kust haar heftig. Ze geeft zich aan je over, je ontdoet je van de laatste kledingstukken, en de kat sluit haar ogen terwijl je in Delia glipt. Eerst grijpt ze je middel vast en haalt zwaar adem, maar als jullie eenmaal een ritme hebben bereikt, wordt ze langzaam stil, haar lippen licht uiteen, haar blik wazig. Je kijkt langs Delia en doet je best om door de muziek heen het gekras te horen. Nooit eerder heb je zo'n intense begeerte gevoeld, zo'n opwinding. Je beeldt je in dat je ernaast staat, stilletjes toekijkt, en dit beeld, samen met een langgerekte, fluisterende zucht van Delia, leidt je tot een krachtig hoogtepunt.

In de stilte die volgt, loodst Delia je naar haar slaapkamer, waar ze zich direct tot een balletje opkrult onder de katoenen lakens. Je kruipt naast haar en ze trekt je arm om haar middel. Een minuut later springt de kat op het voeteneind en draait een paar keer rond voordat ze zich oprolt tussen je benen. Je stelt je nog steeds voor hoe je liefdesspel eruit moet hebben gezien. Je luistert of je het potlood van de auteur hoort, maar hoort alleen Delia's langzame ademhaling, de gedempte kreten van Ella uit de kamer ernaast en het snorrende gespin van de kat. Je vraagt je af of het lawaai je uit je slaap zal houden. Je vraagt je af wat de volgende dag gaat brengen. Je herinnert je je matige optreden van eerder die avond, maar voelt dan weer de sensatie van je slotspel terwijl alle geluid langzaam wegsterft.

Met een schok kom je weer bij bewustzijn door een deur die dichtslaat. Je bent in een vreemd bed, alleen. Terwijl je ogen zich aanpassen aan het licht dat door de dunne gordijnen naar binnen stroomt en je gekras probeert te onderscheiden, verschijnt er een lange gestalte: een man van begin twintig met goudbruin haar tot op zijn schouders. Hij heeft een geruit overhemd aan, een dunne gouden ketting om, en een brede grijns op zijn gezicht.

'Goeiemorgen,' zegt hij, met een verbazingwekkend lage stem gezien zijn jongensachtige gezicht. Hij ziet eruit als een opgeschoten tiener – met gemak één negentig, één vijfennegentig – met grove gelaatstrekken, een grote vierkante kin en grote blauwe ogen, bijzonder lange vingers, een bijzonder lange hals, en als hij buigt om je een enorme hand te geven, lijkt er geen eind te komen aan zijn arm. Je gebruikt een hand om de lakens omhoog te trekken en de andere om hem te begroeten, maar je hand slaapt nog en wordt ge-kneusd in zijn stevige greep. 'Ik zie dat we bezig zijn ge-weest,' zegt hij, nog steeds met een grijns. 'Ik ben Graham.'

'Daniel,' weet je eruit te persen, met een hese stem.

'Waar haal je die energie vandaan?' roept een vrouw bui-ten de deur. Delia, herinner je je. Zo heet ze. Ze glipt achter Graham langs de kamer binnen in een lichtroze badjas met een kop koffie in haar hand, en als hij haar naar voren trekt en begint te kussen, duwt ze hem weg. 'Ik heb m'n tanden nog niet eens gepoetst,' moppert ze. 'En jij ook niet.' Ze staart even naar de vloer voordat ze haar vermoeide blik naar je opslaat. 'Hebben jullie kennisgemaakt?' vraagt ze.

'We hebben nog niet echt zitten bomen of ervaringen uitgewisseld,' verkondigt Graham verontrustend monter, 'maar het voornamengedeelte hebben we afgehandeld. Dit is niet niks, Delia.'

'Inderdaad,' zegt ze. 'En, hoe was het vannacht? Smerig zoals gewoonlijk?'

'Het is nooit smerig,' zegt hij. 'Het was driehonderdvijf-tig dollar en het ging bijna vanzelf.'

'Ja, dat verhaal ken ik.' Delia verdwijnt even, keert dan uit de zitkamer terug met jouw kleren. 'Sorry dat ik je er zo vroeg uit jaag,' zegt ze, terwijl ze de gekreukelde stapel op de hoek van het bed gooit.

'Hoe laat is het?' vraag je.

'Zes uur nog wat.'

'Nou, dat is prima, hoor. Ik moet toch naar huis en me omkleden.'

'Wil je iets van mij lenen?' oppert Graham. 'Iets ánders.'

'Graham!'

'Lieverd, ik kon het niet laten. Ik zit maar wat te dollen.'

Een minuut lang heeft niemand iets te zeggen, en je wilt je zo snel mogelijk aankleden en uit de voeten maken, maar Graham verroert zich niet. Lijkt ook geheel niet van plan zich te verroeren. Hij heeft positie ingenomen naast het bed, het restant van een glimlach nog om zijn lippen. Delia leunt tegen de ladekast en neemt kleine slokjes van haar koffie.

Je schraapt je keel. 'Nou,' zeg je tegen het voeteneind, 'dan denk ik dat ik me maar aankleed en jullie met rust laat.'

'Haast je niet,' antwoordt Graham.

'Laat hem zich gewoon aankleden, Graham!' Vanochtend is ze wat minder bekoorlijk.

'Ik hou hem niet tegen,' zegt hij en hij draait zich dan naar jou toe. 'Trek je van mij niets aan.'

'In godsnaam,' zegt ze, terwijl ze naar de zitkamer stormt.

Graham draait zich om en wil haar achternalopen, maar blijft in de deuropening staan. 'Eens even kijken wat het vrouwtje dwarszit,' zegt hij met een knipoog. 'Even serieus, als je iets nodig hebt, de tweede kast is van mij, die daar in de hoek.' Dan gaat hij eindelijk weg en trekt de deur achter zich dicht.

Wat gebeurde daar nou? Ze gedroeg zich niet als een vrouw die haar man of vriend of wat dan ook belazert, en Graham leek niet boos, niet echt. Maar zijn toon had iets bezitterigs. Terwijl je je broek aantrekt, zie je in de hoek een paar grote tennisschoenen liggen. Hoe is het mogelijk dat je niet hebt doorgehad dat hier nog iemand woont? Het viel je gisteravond wel op dat er scheerschuim van een mannenmerk in de badkamer stond, maar daar heb je verder niet over nagedacht.

Dus wat ben jij nu? Onenightstand-van-Delia? Dat lijkt niet eerlijk. 'Alsjeblieft,' fluister je om je heen, 'laat me in dit verhaal blijven. Ik doe alles wat je wilt. Laat het me gewoon weten, geef me een teken of zo.' Natuurlijk komt er geen reactie. Er komt nooit een reactie. Daar zit je dan, je overhemd dicht te knopen in de slaapkamer van een andere man en op het punt om van de bladzij geschoven te worden. 'Alsjeblieft,' zeg je nogmaals, nu iets harder.

Wanneer je de zitkamer binnenloopt, zit Delia stilletjes met Graham op de bank. Ze lijkt gekalmeerd. Twee bekers staan voor hen op de salontafel. 'Sorry voor het plotselinge wekken,' zegt ze.

'Maar maak je er maar helemaal geen zorgen over,' zegt hij tegen je.

Wat moet je daar nou mee?

'Nou,' zeg je, 'het was leuk jullie allebei te ontmoeten.' En je weet dat het onnozel klinkt, maar wat moet je anders zeggen?

Als je langs de bank naar de deur loopt, steekt Delia haar arm uit en strijkt zachtjes langs je middel, wat een schok door je lichaam geeft die vol woede begint en vol verdriet eindigt. Je blijft even voor de deur staan, wilt de deurknop niet vastpakken, maar durft je niet om te draaien en hen aan te kijken. Het kan niet waar zijn dat het hiermee voor jou is afgelopen.

'Dag,' roept Delia je na.

'Dag,' zeg je, terwijl je omkijkt. Graham zwaait. Delia kijkt je aan, haar gezicht zonder uitdrukking.

Je doet de deur open. Je loopt naar buiten.

Het gekras blijft achter.

Delia

Delia draagt het soort outfit waarvan haar vader ooit heeft gezegd dat het hem deed denken aan een kind dat in de kast van haar ouders een verkleedpartijtje houdt: zwarte laklaarzen, grijze zijden blouse en rode Chanel-sjaal over een oud T-shirt, wollen broek die een keer of wat te vaak gewassen is, en een blazer met krijtstreep die drie decennia geleden voor een man is ontworpen. Haar onnatuurlijk zwarte krullen staan alle kanten op. Bleke huid. Weinig make-up, met uitzondering van de felrode lippen, die zelfs geen vage glimlach laten zien wanneer de kreten van de amuzikale zangeres door het metrostation van Davis Square beginnen te galmen.

Vanaf haar bankje tegen de muur inspecteert Delia de dichte drommen forenzen en pikt Broadway Lady er bij de roltrap aan het andere eind uit. Ze draagt een nieuwe pruik, roze. Maar dat mag niet baten. Gewoonlijk is de verschijning van de oude vrouw een gunstig voorteken voor de dag. Soms belt Delia met haar mobieltje naar Graham als ze de tijd heeft. De vrouw kan nog geen twee zuivere noten achterelkaar zingen en mompelt meestal de tekst, wat een potje raad-die-plaat nog knap lastig kan maken. Maar vanmorgen is Delia afgeleid door gedachten aan Graham en een man die Daniel heet, van wie ze zich de achternaam niet meer kan herinneren.

Ze kan nog steeds niet geloven dat ze het heeft doorgezet. Maar ze moest op de een of andere manier tot Graham zien door te dringen. Ze konden niet voor de vijftigste keer dezelfde discussie voeren – de discussie zou zichzelf inmiddels kunnen voeren. Toen hij een paar maanden geleden voor het eerst met het idee kwam aanzetten, had hij haar volledig overrompeld. En hij was niet voor rede vatbaar geweest. Dus toen ze Daniel zag... De herinnering aan Daniels lichaam tegen dat van haar is verbazingwekkend levendig, en ze voelt hoe haar gezicht van kleur verschiet. Als Graham nou gewoon naar haar had geluisterd, enigszins realistisch was geweest, had ze niet hoeven...

Dan komt de metro. Delia baant zich een weg door de menigte, waarbij ze iedere persoon verafschuwt om zijn aanwezigheid en tegelijkertijd benijdt om zijn gedachten. Elke gedachte behalve deze. Ze zet zich schrap terwijl de metro met een ruk het station verlaat. Nog even, denkt ze. Nog even en ze zal overschakelen op haar werk-ik en volstrekt andere gedachten hebben, gedachten die niets te maken hebben met Graham of hun relatie of zijn vertoning van vanmorgen – of haar vertoning van afgelopen nacht... Maar ergens verontrust het haar ook als ze beseft hoe gemakkelijk ze kan omschakelen van leven en ontrouw naar schriftelijke dankbetuigingen en fondsenwervingsdoelstellingen, gecaterde lunchbijeenkomsten en lupus.

Drie jaar zijn alweer voorbij sinds Delia bij de McKlein Lupus Foundation begon, al zou het eigenlijk iets tijdelijks zijn. Er was net een grote cyste verwijderd uit een van haar eierstokken en hoewel het geen gevaarlijke ingreep was, vond de dokter toch dat ze niet meer de hele avond in de bediening moest rondlopen. Een vriend van haar vader zat destijds in het bestuur van de stichting; hij stelde voor dat de stichting haar zou inhuren om te helpen met het opmaken van de boeken. Het ging allemaal heel informeel. Ze had niet eens hoeven solliciteren. Toen herstelde de eierstok, liep het fiscale jaar af, en in plaats van terug te gaan naar het restaurant, bleef Delia. Ze hadden hulp nodig met de jaarstukken, en zij bleef de verhuizing naar New York uitstellen. En, dacht ze, zo deed ze in elk geval aantoonbaar iets goeds voor de wereld.

Wat voelt ze zich ver verwijderd van het goede dat haar stichting doet. Natuurlijk is lupus een slopende ziekte en uiteraard moet er een geneesmiddel worden gevonden. Maar de stichting doet dienst als bemiddelaar tussen de personen en bedrijven die schenkingen doen en de onderzoekers en zorgverleners die giften ontvangen. Het is een noodzakelijke functie, net als het bedrijf van haar vader, dat zich bezighoudt met in- en uitvoer, maar hoe bevredigend kan die rol zijn? Minstens één keer per week voelt ze zich schuldig dat ze niet emotioneel investeert in haar werk – laat staan in de strijd tegen lupus – maar de weg tussen wat zij doet en het goede dat daaruit voort kan komen, is zo lang en omslachtig dat ze voor haar gevoel net zo goed postordercosmetica zou kunnen verkopen of accountantsassistente zou kunnen zijn. Misschien dat de anderen bij de stichting hun enthousiasme ook wel moeten veinzen. Ze kan zelfs niet praten over haar baan als Graham erbij is. De blik die hij dan in zijn ogen krijgt...

Als de metro aankomt bij Kendall Square, beseft Delia dat ze te goed geslaagd is in het uitstellen van de metamorfose en instinctief haalt ze haar telefoon tevoorschijn om Monty te bellen. Maar dan houdt ze zichzelf tegen. Hij gaat heus niet van z'n werk spijbelen. Zij al evenmin. En wat moet ze überhaupt tegen hem zeggen. Hoewel ze Monty al een eeuwigheid kent, zou ze het niet in haar hoofd halen hem over afgelopen nacht te vertellen. Nee. Ze kan maar beter even langsgaan bij het Methodist Home.

Het Methodist Home-bejaardenhuis op Second Street ligt twee blokken ten noorden van Delia's kantoor, en met een mengeling van verwachting en schaamte inspecteert ze vluchtig de straat voordat ze zich door de glazen deuren naar binnen haast. Het ruikt er naar ziekte en nepbloemen. De felle tl-lampen weerkaatsen van de witte linoleum vloer en Delia houdt haar zonnebril op totdat ze de wachtruimte met treurige kunststof meubels en treurige gezichten van middelbare leeftijd voorbij is.

Bij de receptie geeft een forse vrouw met slecht geverfde blonde krullen Delia een knipoog. 'Dag, lieverd,' zegt ze. 'Kom je weer voor ons zingen?'

'Ik vroeg me af of je rond de lunch misschien wat tijd voor me hebt.'

De receptioniste bestudeert aandachtig een klembord, waarbij de beweging van haar hoofd ergens tussen een knik en een trage rek in zweeft alvorens uit te monden in een schudbeweging die gepaard gaat met een overdreven frons. 'Vandaag niet, schat. Zo te zien krijgen we om twaalf uur bezoek van het kerkkoor en meteen daarna komen de mensen van de kunstnijverheid.'

'Nou ja...'

'Kom je anders dinsdag? Je weet dat meneer Demarco je mist.'

Delia glimlacht, belooft de week daarop terug te komen, steekt dan vlug de straat over en gaat het café binnen. Haar bezoekjes aan het Methodist Home zijn een jaar of twee geleden begonnen, toen een van haar tantes ernaartoe verhuisde, en hoewel die tante al snel daarna bij haar dochter in New Hampshire introk, is Delia het bejaardenhuis om de paar weken blijven bezoeken. Ze zou graag willen geloven dat ze geeft om de voormalige vrienden van haar tante, maar in werkelijkheid worden ze één grote brij in haar hoofd.

Het is hun zachte, kritiekloze applaus dat ervoor zorgt dat ze steeds terugkomt.

Delia gaat zitten aan een tafeltje achterin en plukt de cranberry's uit haar muffin, terwijl ze probeert de kleine wijzer op haar horloge van de negen af te houden. De man aan het tafeltje naast haar zit verwoed te schrijven in een dagboek en Delia's gedachten gaan terug naar Daniel. Voor afgelopen nacht was ze zes jaar lang niet met een andere man geweest – sinds haar twintigste. En mijn hemel, wat weet ze nou helemaal van deze jongen? Hij is schrijver. Werkt aan een roman. Hij had iets, een soort opgekropte drang. Hij was heel aandachtig – niet op de pretentieuze manier waarop Natalie, Monty's vriendin, beweert dat elke ervaring 'voer' is voor haar 'werk', maar op een meer chaotische, misschien wel oprechte manier. Jammer dat Delia aan het eind een beetje onaardig tegen hem moest zijn.

Ze vraagt zich af of ze ooit Cambridge Books zal binnenlopen en Daniels gezicht op een megaposter zal zien staan. *Het was nooit in me opgekomen over heroïneverslaafden te schrijven als ik dit meisje niet had ontmoet...* De gedachte doet een siddering door haar lichaam gaan. Maar gewone mensen zijn natuurlijk nooit een commercieel succes. Hij wordt waarschijnlijk niet eens uitgegeven. Alleen de voormalige effectenmakelaar maakt het vandaag de dag als romanschrijver. Zelfs Natalie heeft dat gezegd, hoewel ze dat vast zal ontkennen nu ze zelf op de uitgeverijladder stijgt. Belangrijke baan in New York. Dwepen met boeken over meisjes die een half uur in een gaarkeuken werken en dan God ontdekken. Mensen met echt talent werken niet in het uitgeversbedrijf en krijgen geen contract. Die moeten in een café werken of hun talent gebruiken om met commercieel werk geld te verdienen. Of non-profit, soms ook.

'Hoi, Delia.'

Delia kijkt op, zich bewust van het cranberryvelletje tussen haar tanden. Het is Jennifer, die draak van de stichting. Delia lacht met haar lippen op elkaar.

'Rustig aan vanmorgen?' Jennifer heeft haar muffin in een zakje. Maakt dat haar superieur? Blijkbaar.

'Eigenlijk was ik aan de vroege kant, dus ik dacht: ik trakteer mezelf op een ontbijt.'

'Ik wou dat ik dat kon,' zegt Jennifer, waarbij haar onnatuurlijk bolle kapsel nauwelijks beweegt, ondanks een aantal enthousiaste knikken van haar hoofd. 'We hebben gisteravond tot acht uur zitten werken aan het grote Mentrex Labs-voorstel.'

Gefeliciteerd, zou Delia willen zeggen. Jij hebt het meest hart voor de zaak. Maar ze glimlacht alleen nogmaals, waarop Jennifer vertrekt. De omschakeling bestaat voor een deel uit glimlachen naar mensen aan wie ze een hekel heeft. Tijd om de dag te beginnen.

Graham

Het muziekblad voor Graham is blanco op een paar ak-
koorden na die hij erin heeft geschreven, maar hij speelt *In-*
termezzo in a-klein van Brahms. Niet een bijzonder moeilijk stuk voor een ervaren pianist, maar Graham scheurt er
in dubbel tempo doorheen. Het was een van zijn vroege re-
citalstukken, en hij speelt het zoals anderen een wandeling
kunnen maken zonder de bomen of mensen om zich heen
te zien; om zijn lichaam te ontspannen terwijl hij in niet-
muzikale gedachten verzonken is.

Heeft hij haar echt ertoe gedwongen een man mee naar
huis te nemen – en in hun bed? Waar slaat dat op? Hoe kan
het dat hij er uiteindelijk de verantwoordelijkheid voor
heeft genomen? Grahams vingers storten zich op de toetsen
en hij probeert het zich niet voor te stellen. In bed. Of onder de douche. Of in de zitkamer – er zijn een hoop plekken om je niet voor te stellen. Goed dan. Wat gebeurd is, is
gebeurd. Hij zal nu maar een of ander baantje nemen. Dat
is wat normale mensen doen, zoals Delia zo graag zegt. Die
werken. Je hoeft niet verliefd op je werk te zijn, zei Monty
de laatste keer. En de keer daarvoor. Gewoon iets om de
kost te verdienen.

Maar veertig uur per week afschuwelijk werk doen, is
niet oké, denkt Graham. Dat trekt hij niet. Hoe doen mensen dat? Tot op zekere hoogte moeten ze het leuk vinden.

31

Waarschijnlijk is Delia inmiddels op haar werk mensen het mes op de keel aan het zetten en oudjes geld afhandig aan het maken. Graham heeft zeshonderd dollar op zijn naam staan. Hij heeft Delia de huur van mei terugbetaald, maar vroeg of laat wordt het ook juni. Een golf van spanning schiet naar zijn nek en zijn vingers gaan vanzelf over in rag-time alsof de levendige melodie de oplossing bevat voor alle problemen. En omdat hij 'Maple Leaf Rag' en 'The Enter-tainer' door elkaar gooit, biedt het spelen afleiding, tot een van de stukken – of beide, of een combinatie van de twee – abrupt tot een einde komt.

Hij schrikt van de plotselinge stilte, springt op en loopt het appartement door op zoek naar een verdwaalde sok om op te rapen of een stuk brood om te eten. Het brood is oud, en natuurlijk is niet een van de losse sokken van hem. Myra ligt te slapen onder Delia's badlaken dat ze heeft laten slin-geren, en als Graham een schuimrubberen bal naar de berg gooit, zucht het laken slechts. De kat zou hem waarschijn-lijk ook graag zien vertrekken. 'Een hond zou dankbaar zijn als hij mij had,' zegt hij tegen haar. Nu zucht ze zelfs niet eens. Als ze vanmorgen uit elkaar waren gegaan, had Delia Myra genomen. En de meubels, borden, al die troep. In feite is het hem in de vijf jaar dat ze nu samenwonen – sterker nog, vanaf het moment dat hij uit Texas weg is – gelukt een zeer lichtgewicht bestaan te leiden. Alles wat hij echt nodig heeft, zou hij waarschijnlijk in één keer van de trap kunnen dragen – op de piano na dan. Dit druist in te-gen Grahams theorie van zijn eigen draagbaarheid, en om-dat hij er niet van houdt tegengesproken te worden – zelfs niet door zichzelf – pakt hij een sigaret. Zijn vloeitjes liggen in een la van de salontafel, maar in plaats daarvan pakt hij een lightsigaret uit zijn zak. Hij heeft al lang de gewoonte shag te draaien, het is iets wat hij associeert met zijn persoonlijkheid, net als het lange haar en de geruite overhemden en de dunne gouden ketting die hij draagt, maar Graham vindt de filterloze sigaretten de laatste tijd nogal scherp en rookt tegenwoordig lightsigaretten als hij alleen is. Het eerste trekje is rustgevend en Graham leunt achterover op de bank. Hij heeft geen inspiratie om aan zijn sonate te werken en bladmuziek doorzoeken naar stukken die hij jaren geleden al onder de knie had, heeft iets banaals. Televisiekijken is altijd deprimerend. Dus belt Graham naar Jon.

Thuis krijgt hij geen gehoor, maar Jon neemt zijn mobieltje na een paar keer overgaan op. Hij is op de sportschool, nog even bezig in de kleedkamer. 'Perfecte timing,' zegt hij tegen Graham. 'Ik heb zelfs m'n broek al aan.' Ze spreken een half uur later af in The Silent Owl.

Graham vraagt zich af wat hij het komende uur gaat doen, aangezien Jon er nooit binnen een half uur is. Jon vertelt graag dat hij zijn punctualiteitsprobleem in de baarmoeder heeft ontwikkeld en dat hij niemand ooit zo in de problemen heeft gebracht als zijn moeder, die al bijna in haar tiende maand was toen de bevalling eindelijk begon. Op de een of andere manier moet Graham daar nog steeds om lachen, maar hoe vaak heeft hij het inmiddels wel niet gehoord?

Zijn haar is nog nat van het douchen, maar Graham bedenkt dat hij net zo goed nog een douche kan nemen. De eerste keer was hij te afgeleid. Hij kon zich moeilijk concentreren op het tot aan de haarwortels uitspoelen van de shampoo, een minutieuze bewerking van zijn lichaam met

de washand, het goed laten schuimen. De tweede douche-
beurt is een stuk bevredigender en een paar minuten lang
voelt het alsof ook de afgelopen twaalf uur weggewassen
zijn. Hij trekt nogmaals een schoon T-shirt en een schone
boxershort aan en zoekt op z'n gemak een overhemd uit.
Als de trein geen vertraging heeft, is hij er waarschijnlijk
nog altijd eerder dan Jon. The Silent Owl is 's avonds een
loungebar en overdag een koffiebar, maar Graham ziet het
vooral als een mausoleum voor bedrukte stoffen. Banken
worden zorgvuldig langs de weg uitgezocht en nemen de
plaats in van nog havelozer meubels of – wat meestal gebeurt – worden toegevoegd aan de reeds bestaande zitplaat-
sen, die op hun beurt een nieuwe rangschikking vereisen
die ontworpen lijkt om alle beweging onmogelijk te maken. Als een klant zich eenmaal een weg naar een zitplaats
heeft weten te banen, is het voor alle partijen het best als hij
vervolgens de rest van zijn verblijf blijft zitten. De ranke
serveersters glippen met verbazingwekkend gemak door
het labyrint van log meubilair, zelfs 's avonds wanneer de
ruimte zo schaars verlicht is dat Graham nauwelijks de gezichten kan onderscheiden van de mensen die komen en
gaan. 's Avonds is The Silent Owl een goede plek om te ver-
dwijnen.

'Sorry dat ik zo laat ben,' roept Jon vanaf de deur. Ondanks de milde kou die in Boston nog minstens een paar
weken zal aanhouden, draagt Jon niet meer dan een blauw
mouwloos shirt en een kakibroek. Het zonnebankbruin
doet zijn gespierde armen goed uitkomen en zijn vlasblon-
de haar zit zoals gewoonlijk bestudeerd nonchalant. Jon
ziet er als altijd oogverblindend uit en zijn luide entree
trekt zowel hongerige als geïrriteerde blikken van de overi-

ge koffiedrinkers. Maar hij is die aandacht gewend, Graham weet dat. Jon is dertien jaar ouder dan Graham, en tien jaar ouder dan Delia, maar niemand zou dat ooit vermoeden.

'Je gelooft nooit wat ik net in de kleedkamer heb gezien,' zegt Jon, terwijl hij tegenover Graham neerploft in de goudkleurige stoel met paisleymotief.

'Vast wel.'

'Twee jongens van vijftien, in de sauna, die zich helemaal laten gaan. Ter plekke. Ik bedoel, eerlijk waar hoor, het zijn praktisch nog kinderen!'

'Het zíjn kinderen.'

'Maar ik bedoel, ze betastten elkaar echt overal. Ze implodeerden zowat toen ik plotseling voor ze stond, maar ik draaide me gewoon om. Wenste ze veel plezier. Ja toch. Je bent maar één keer jong. Of twee keer. Ik wou dat ik zo dapper was op m'n vijftiende.'

'Ik stel me altijd voor dat jij het schatje van de school was, dat kleine jongetjes het hoofd op hol bracht in de zandbak.'

'Ben je gek? Ik was geobsedeerd door puurheid. God, wat was ik deugdzaam. Ik ging kamperen met de welpen en liet ze hun *Playboy* verbranden in het kampvuur. Zei dat ik het anders zou zeggen tegen de hopman of hoe dat dan ook heet. Eerste keer dat ik een plaatje van een blote vrouw zag. Ooo. Dat uitstapje heb ik wel wat geleerd en dat was niet hoe je een platte knoop legt.'

Jon kan urenlang praten. Hij staat drie avonden per week achter de bar in een ietwat ranzige homotent in South End, en er lijkt geen eind te komen aan de stroom van verhalen die dat oplevert. Die moeten wel aangedikt zijn, of verzonnen, maar dat maakt niet uit. Graham is opgelucht dat hij zich kan verliezen in Jons gedetailleerde samenvatting van afgelopen nacht. 'Ik kan je wel vertellen,' verzucht Jon, die bij het slot is aanbeland, 'ze lagen voor het oprapen gisteravond. Je had een fortuin kunnen verdienen.' Het slot van het verhaal doet Grahams stemming weer betrekken en hij slurpt de laatste slok van zijn bloody mary op. 'Sorry,' mompelt Jon. Graham trekt zijn schouders op. 'Maakt niet uit. Jij bent niet de enige die vindt dat ik stom ben geweest.'

'Schat, je kunt het haar toch moeilijk kwalijk nemen?'

Graham haalt zijn vloeitjes en tabak tevoorschijn en begint een sjekkie te draaien op het oranje krat dat dienstdoet als koffietafel. 'Gisteravond heeft ze een man mee naar huis genomen,' zegt hij zonder op te kijken. 'Om haar standpunt te verhelderen.'

'O...'

Dan steekt Graham zijn sigaret aan en wenkt Jon naar een serveerster die langsloopt. 'Nog een mary voor hem en – maak er maar twee van,' zegt Jon tegen haar. 'Het spijt me, schat. En ik maar wauwelen over oude mannen en tienererotiek.'

Graham vertelt over zijn ontmoeting van vanochtend en het korte gesprek dat hij daarna met Delia heeft gevoerd. 'Dus ik zei: "Prima, dan stop ik ermee" – maar je moet toegeven dat het iets anders is dan iemand oppikken in een bar.'

'Ja,' zegt Jon, 'maar ook weer niet iets heel anders.'

'Maar bij mij komt er geen lust aan te pas, geen zoenen – geen mond. En ik deed het met kerels – die meestal vrij afstotelijk waren trouwens. Het is niet alsof ik bij haar weg zou gaan voor een kerel.'

'Ja, dat weten we,' zegt Jon, 'maar per saldo neukt haar vriendje wel met anderen. Dat kan toch geen lekker gevoel zijn.'

'Maar twee of drie keer per maand,' zegt Graham. 'En ik heb haar gezegd dat het voor mij ook geen lekker gevoel is als zij naar die masseur gaat waar ze zo gek op is. Die vent zit een uur lang met zijn handen aan haar hele lichaam. En daar komt gevoel bij kijken. Ik, in mijn geval is het erin en eruit. En sommige van die kerels raak ik nauwelijks aan.'

'Maar je begrijpt...'

'Ja, ik begrijp het.' De serveerster komt met de drankjes aanzetten en Graham stort zich op zijn glas. Jon ook.

Ze hebben het hier al zo vaak over gehad. Sterker nog, Jon is degene die Graham heeft verteld dat het heel normaal is voor heteromannen om het tegen betaling te doen. Niet dat hij het als beroep heeft aangeprezen, maar toch.

'Daarnaast,' zegt Jon – nog niet van plan het hierbij te laten – 'zal Giorgio de masseur haar, of jóú, geen herpes of aids bezorgen...'

'Je weet hoe voorzichtig ik ben.'

'... of haar hoofd eraf hakken en in de vrieskist stoppen. Je kunt nog zo voorzichtig zijn, Jeffrey Dahmer liep ook niet rond met een sticker op z'n voorhoofd dat hij krankzinnig was. NOG PLEK VOOR EEN HOOFD IN DE VRIES-KIST.'

'Moet jij nodig zeggen,' zegt Graham. Zelfs al is de helft van de verhalen verzonnen, dan nog is Jon de meest promiscue persoon die Graham kent.

'Ik ben nog maar een schim van de sloerie die ik was,' benadrukt Jon, terwijl hij theatraal een slok neemt. 'Daarnaast hanteer ik strikte regels over waar ik wel en niet heen ga. We doen het als beschaafde mensen in de sauna, of we gaan naar mijn huis: daar weet ik wat er in de ijskast ligt.'

'Vrieskist.'

Jon zucht. 'Eerlijk waar, ik heb geen idee wat er in mijn vrieskist ligt.'

Graham werkt nog twee sigaretten weg voordat ze vertrekken. Het gesprek richt zich gelukkig niet langer op hem, maar op meer ontspannen onderwerpen als Gershwin, het echtscheidingspercentage onder popsterren en de toekomst van Jons bakkebaarden, en aan het eind – wanneer Graham Jon omhelst – zegt Jon: 'Ik ben blij dat we dit nu hebben gehad, want jullie hebben samen te veel meegemaakt om het door zoiets stoms kapot te laten gaan. Jullie zijn Delia en Graham, godbeterd!'

'Ja, ja,' zegt hij. 'We redden het wel. Ik ga wel rommel verkopen, of met een glimlach mensen bedienen – zoals "normale mensen" doen.'

'Je bent een slimme vent. Ik twijfel er niet aan dat je een lucratieve bron van inkomsten vindt. En geef nou maar toe dat dit niet je briljantste plan was. Het moet een opluchting zijn om te stoppen.'

Graham houdt voor Jon de deur open als ze naar buiten lopen, en ja, denkt hij, het zal vast wel een soort opluchting zijn. Hij doet het pas drie maanden, maar ziet nu al een donkere kant van zichzelf. En toch, de afgelopen maand heeft hij vermoedelijk niet meer dan vier uur gewerkt, minder misschien. 'Ach,' zegt hij, 'ik kan me wel wat ergers voorstellen.'

Delia

Delia's lach sterft weg als haar blik van Graham naar de bar dwaalt. Vlak bij de ingang van Lilly's staat Daniel. Hij heeft haar nog niet gezien – het café is inmiddels behoorlijk volgelopen – maar hij speurt de ruimte af. Hij is niet goed wijs, denkt Delia. Maar voordat ze haar gezicht weer in de plooi kan trekken, hebben Graham en Jon haar starende blik al opgepikt. Daniel zwaait en komt op hen aflopen, en Graham gooit zijn lange arm over tafel.

'Danny, ouwe jongen!' roept hij.

Het gaat allemaal razendsnel. Daniel mompelt een of ander excuus dat hij in de buurt was, terwijl Graham hem op de rug slaat en aan Jon voorstelt, waarop Daniel op aandringen van iemand bij hen aan tafel schuift en tegenover haar gaat zitten. Wie heeft hem uitgenodigd om erbij te komen zitten? Graham? Natuurlijk Graham.

'Wij hebben al een voorsprong,' zegt Jon, terwijl hij voor Daniel bier in het lege glas schenkt dat voor Monty bestemd was. Daniel heeft haar nog steeds niet aangekeken.

'Jeetje, man, hoe gaat het nou met je?' vraagt Graham, alsof ze oude vrienden zijn, die elkaar lang niet hebben gezien.

Je moet elke situatie meester zijn, hoort Delia haar overleden moeder zeggen. Een samenzijn is alleen maar ongemakkelijk als je dat toelaat. Nou, dit is niet bepaald een lunch op de Vineyard, moeder. Daniel is niet gescheiden, socialist of Joods.

'Ik hoor dat je schrijver bent,' zegt Jon. Graham heeft het dus wél verteld aan Jon.

Daniel knikt en zegt iets, maar Delia kan hem door haar woede heen moeilijk verstaan. Het is zo ongepast dat hij hier nu komt opdagen, peinst ze, opnieuw in de denktrant van haar moeder. Wat zal Monty wel niet denken als hij straks komt? Heeft Graham daar al aan gedacht?

'Hij is bezig met een roman,' zegt Graham. 'Grote plannen, deze jongen.'

Daniel bloost en zijn sproetenkop wordt roder dan zijn haar, wat Delia enigszins oplucht. Hij moet gewoon weg.

'En, wat zijn jullie aan het doen vanavond?' vraagt Daniel.

'We hebben wat te vieren,' antwoordt Graham. 'Ik heb mijn baan deze week opgezegd. Mijn ontslagbrief gefaxt op de dag dat we elkaar hebben ontmoet, om precies te zijn.'

'Nou... gefeliciteerd,' antwoordt Daniel.

'Ik vraag me af waar Monty blijft,' zegt Delia, terwijl ze Graham een veelbetekenende blik probeert toe te werpen.

Tevergeefs. 'Monty is een jeugdvriendje van Delia,' zegt Graham tegen Daniel. 'Da's kort voor Richard Rosemont de derde. Of vijfde. Dat vergeet ik altijd.'

'Die naam komt me bekend voor,' zegt hij.

'Uiteraard,' zegt Graham, met een gemene gloed in zijn ogen, 'maar maak er alsjeblieft geen toestand van als hij straks komt. Geen handtekeningen vragen en zo.'

'Dat vindt hij echt helemaal niks,' vult Jon hem aan. 'Het is een heel nuchtere vent.'

Nu gaan ze Daniel afzeiken. Z'n verdiende loon misschien, omdat hij zo opeens op komt dagen, hoewel het op Delia wel heel gemakkelijk overkomt. Maar wat kan ze beginnen. Ze blijven elkaar aanvullen, Graham en Jon blazen Monty op tot megaster – meisjesbladen, filmcontracten, Emmy-nominaties – en Daniel slikt het allemaal. De leugens en het bier. Hij heeft zijn eerste glas binnen vijf minuten leeg en op zijn voorhoofd beginnen zich kleine zweetpareltjes te vormen. De jongens zullen zich vast wel gedragen als Monty eenmaal komt. Misschien moet ze Daniel wegsturen. Maar een scène – dat zou nog erger zijn, en als Monty op dat moment komt aanzetten...

Het heeft geen zin er verder over na te denken, want daar komt de beste man al binnenlopen. Hij is direct uit kantoor gekomen, zoals gewoonlijk, en zijn vertrouwde voorkomen stelt Delia op de een of andere manier gerust. Hagelwit overhemd, dure das met strepen en een pak met brede schouders, waarvan hij eindelijk heeft toegegeven dat hij die koopt om zijn slanke postuur meer gestalte te geven. Monty draagt zijn zwarte haar in een zijscheiding en het sikje dat zijn lange, hoekige gezicht benadrukt, ziet er even verzorgd uit als altijd.

Delia steekt haar hand uit, maar wanneer Monty die niet schudt of zoent, zwiept ze haar veronachtzaamde arm door om duidelijk te maken dat ze iemand wil voorstellen. 'Dit is Daniel,' verkondigt ze.

Monty en Daniel kijken elkaar een moment aan. Dan zegt Daniel: 'Ik kén jou,' met gekrenkte triomf. 'Jij werkt bij Sullivan Consulting.'

Monty knikt ernstig en trekt een stoel bij aan het hoofd van de tafel.

'Nou, da's ook niet leuk,' moppert Graham.

Daniels gezicht verandert in dat van een mokkend kind. Jon kijkt omhoog. Graham lacht. En iemand moet de stilte doorbreken. Dus doet Delia dat. 'Het is maar een spelletje,' zegt ze tegen Daniel. 'Iets wat Jon en ik een eeuwigheid geleden hebben verzonnen.'

'Schat, ik geloof dat je toen nog je legitimatiebewijs moest laten zien als we uitgingen.'

'Bedankt voor het gebruik van de verleden tijd.'

'Ik moet nog steeds mijn legitimatiebewijs laten zien,' fluistert Graham en Delia draait zich om en steekt haar tong uit.

'Je doet dus of je beroemd bent,' legt Jon uit, 'laat wat namen vallen, dat soort dingen. Meestal zijn we allemaal beroemd. Iedereen neemt een bepaald karakter aan en dan gaan we naar een of andere chique tent waar we een enorme scène trappen.'

'Ik begrijp dat jullie mij tot ster van de dag hadden gebombardeerd,' zegt Monty.

Jon haalt zijn schouders op. 'Zoiets ja.'

'Fraai hoor. Hebben jullie geen glas voor mij gehaald?'

En terwijl Monty naar de bar loopt, zit Daniel daar maar. Wat vindt ze dat hij zou moeten zeggen? Uiteindelijk komt hij met een 'o' en dan, na lange tijd: 'Ik snap het.'

Maar hij snapt het niet. Hij is gekwetst en dat is deels haar schuld. 'Wees maar niet boos,' zegt Delia.

'Het is maar een geintje,' zegt Jon.

'Tuurlijk,' zegt Daniel. En ze staren hem allemaal aan, wat vast ongemakkelijk is, en zijn wangen worden steeds roder, zijn nek ook, en uiteindelijk staat hij op en zegt: 'Ik moet er eigenlijk vandoor. Maar, ehm, het was leuk om... jullie allemaal te zien.'

'Ja,' zegt Graham. 'Echt te gek om jou ook weer te zien.'

En Delia voelt zich slecht, maar ze is niet teleurgesteld om hem te zien gaan. Dus wacht ze terwijl hij ongemakkelijk in de richting van de tafel knikt en dan is Daniel eindelijk weg.

Zijn vertrek is als een groepszucht. De stemming klaart prompt op met het ophalen van herinneringen aan Fame Games die hen terugbrengen tot de conservatoriumdagen van Graham en Delia. Ze geeft zich met plezier over aan de nostalgie en zakt verder weg in Grahams omhelzing. Hij kust haar oor tijdens een van Jons lange verhandelingen en zij wrijft met haar hand over zijn dijbeen. De warmte van zijn lichaam door de spijkerstof is geruststellend. Zijn lichaam is altijd warm. Zelfs tijdens de kilste nachten, wanneer haar vingertoppen net ijsklontjes zijn, kan ze zich in bed dicht tegen hem aan nestelen en in zijn lange armen ontdooien, en dan weet ze dat alles goed komt.

Het is even na middernacht als de avond ten einde loopt. Delia en Graham lopen twee blokken in vredige stilte tot Graham iets zegt. 'Het spijt me,' zegt hij, 'dat ik het die Daniel zo moeilijk heb gemaakt.'

Het is een vriendelijk gebaar, en Delia knijpt in zijn hand.

'Het spijt je niet,' zegt ze. 'Maar het is je vergeven. En even voor de goede orde, het is geen slechte jongen.'

'Daar ben ik van overtuigd,' zegt Graham. 'Ik bedoel maar, je hebt duidelijk een voortreffelijke smaak wat mannen betreft.'

Delia geeft hem een speelse por tegen zijn arm, en hij grijpt haar vuist en kust die. 'Nee, ik meen het,' zegt hij.

'Hij is vast geweldig. Ik beloof dat ik de volgende keer aardiger ben als we hem weer zien.'

Delia slaat haar ogen ten hemel. 'Reuze sportief,' zegt ze, 'maar ik denk niet dat hij ooit nog naar Lilly's komt.'

Daniel

Je staat buiten bij Lilly's als je voor het eerst het gekras weer hoort, dus je weet dat ze binnen zitten. Niet dat daar veel fantasie voor nodig is – het is zaterdagavond, dit is hun stamkroeg. Maar eenmaal hier, ben je niet zo zeker meer van je plan en je staat ook nog eens te zweten. Te veel te zweten misschien. Je loopt door over de stoep en blijft twee panden verderop stilstaan voor een Chinees restaurant. Je haalt diep adem. Je hebt echt geen keus. Hoe kom je anders weer terug in dit boek?

Vandaag was een marteling. En afgelopen nacht heb je nauwelijks geslapen. Uiteindelijk ben je om zes uur opgestaan en twee uur gaan hardlopen. Je was in de verleiding om helemaal naar Somerville te rennen – en waarom eigenlijk? In de hoop Delia tegen het lijf te lopen terwijl ze de vuilnis buitenzette? Dat zou eerder gênant dan ontwapenend zijn geweest. Je moet wat meer trots hebben. Of minder trots. Iets in die richting.

De mensen achter het raam bij de Chinees willen vast graag dat je weggaat. Je hebt tegen hun raam staan leunen, je kont als sierstuk voor hun tafel. Dat bedenk je nu pas. Dus glimlach je naar ze, zwaait van sorry-fijne-avond-nog en loopt dan langzaam terug naar Lilly's.

Je had je nooit zo gedwee van de bladzij moeten laten schuiven. Je had het gisteravond met een lach moeten afdoen. Hoewel je neplach nep klinkt, zelfs jij weet dat. Toch had je het op z'n minst met een glimlach kunnen afdoen, of iets dergelijks.

Je oefent fluisterend: 'Hallo, allemaal, hoe is 't ermee?' Nog een keer, informeler: 'Hallo, allemaal. Hoe is 't ermee?' Klinkt geforceerd. 'Alles goed, mensen?'

Wat als ze alleen is?

En dan gaat de deur open en deze zwiept bijna in je gezicht. Iemand houdt hem voor je open, een studente of zo, dus loop je het café binnen en daar zijn ze, alle vier. De blonde jongen met de bakkebaarden praat met z'n handen. Hij en Delia zitten op de bank tegenover de deur, en ze lacht en luistert naar wat hij vertelt. Graham zit met zijn rug naar je toe, en daarnaast moet Monty zitten, meer dan een kop kleiner en nauwelijks zichtbaar vanaf de deur.

Het is drukker dan gisteravond en je besluit eerst wat te drinken te halen. Maar terwijl je je een weg zoekt naar de bar hoor je achter je: 'Is dat Daniel?'

Je draait je om – ze zitten je allemaal aan te staren – en je loopt een paar passen in de richting van hun tafel. 'O, hallo, allemaal,' zeg je. 'Hoe is 't ermee?' Het woord 'ermee' slaat over, alsof je de baard weer in de keel hebt, en als je omlaag kijkt, zie je op je poloshirt – wit, voortreffelijke keuze – midden op je borst een zweetplek.

'Het gaat prima,' zegt de blonde jongen.

'Wat ben je aan 't doen vanavond?' vraagt Graham, terwijl hij zijn haar uit z'n gezicht veegt.

Je kijkt hem aan, werpt dan vlug een blik op Delia, die meer versteld lijkt dan iets anders.

'Gewoon, ehm, even wat drinken,' zeg je. 'Dacht dat ik

misschien, ehm, nog even een handtekening kon komen halen.'

Ze moeten niet lachen om deze kwinkslag, maar hij vindt tenminste wel stille instemming. Monty glimlacht, Delia ook, en je vraagt of je voor iemand iets te drinken kunt halen. Slechts één gegadigde, de blonde jongen, die Jon heet, zo helpt hij je herinneren. En daar sta je dan, een paar minuten later, met twee wodka-tonic, terwijl je een stoel aan het hoofd van de tafel schuift. Het ging allemaal zo snel en gemakkelijk dat het lijkt of de auteur jouw aanwezigheid goedkeurt.

'Zo,' zegt Jon, na een korte stilte, 'wat, ehm... wat heeft iedereen gedaan vandaag?'

'Niet veel,' zegt Monty. 'Ik ben naar kantoor geweest.'

Jon wendt zich tot jou. 'Gewoon,' begin je, 'wat boodschappen en zo, weet je.'

Jon knikt beleefd. Spannend hoor.

'Iémand zei dat hij me mee zou nemen naar de dierentuin,' zegt Delia, terwijl ze haar armen op tafel legt en Graham samenzweerderig aangrijnst.

'Die in Dorchester?' vraagt Monty.

'... Maar toen nam hij me mee winkelen in Copley Place.'

'Wat ook een dierentuin ís, als je erover nadenkt,' zegt Graham, terwijl hij een wolk rook over hun hoofden uitblaast. 'Die vrouwen die met hun lange halzen en parelsnoeren door het winkelcentrum paraderen, kunnen net zo goed voor giraffen doorgaan.'

'En van die meisjes in oorbellenwinkels, die in grote uitverkoopbakken staan te graven, wat hadden we daar nou ook alweer voor bedacht?'

'Aardvarkens.'

'Nee, kleiner. Ze graven tunnels in de modder...'

'Mieren?' vraagt Monty.

Jon trekt zijn schouders op. 'Ik werk niet in een dierentuin, schat.'

'Nou, kom op,' zegt Delia, 'hoe heten ze ook alweer?'

En je weet waar ze het over heeft. Je ziet ze voor je. Het ligt op het puntje van je tong, als het je nou maar te binnen schoot, als de auteur nou maar...

'Buidelratten?' zeg je.

'Ja!' gilt ze.

'Precies,' zegt Graham. 'Dat was het.'

'Laat dat maar aan de schrijver over,' zegt Jon.

En dat woord, 'buidelratten', is je meest substantiële bijdrage aan de feestvreugde van die avond, maar het voelt als voldoende, omdat het gesprek om je heen doorgaat zonder het ongemakkelijke gevoel van gister of eerder vanavond toen je ze begroette. En het is een grappig stel, deze groep, en jouw lach lijkt ze aan te moedigen, vooral Graham en Jon. En als de avond bijna ten einde is en je je zorgen begint te maken over hoe je ze weer gaat zien, kondigt Jon brunchplannen aan voor zondag, waarbij uit niets blijkt dat deze jou niet betreffen. Dus knijp je er bij het afscheid nemen tussenuit met een vlug 'tot later allemaal'. Dan heeft niemand de gelegenheid er een specifieke invulling aan te geven.

Graham

'Maar dat is nog niets vergeleken met hoe ik haar vader heb ontmoet,' zegt Graham, wat gevolgd wordt door een vertrouwd gelach van iedereen aan de brunchtafel. Hij weet dat hij het gesprek domineert, maar hij kan het niet laten. Bovendien lijkt iedereen zich te vermaken. En dus steekt hij van wal over zijn eerste bezoek aan de jacuzzi in Delia's ouderlijk huis, en zij giechelt om haar vaders onverwachte thuiskomst tijdens het meest luidruchtige deel van hun vrijpartij, en Jon lacht alsof hij het verhaal nooit eerder heeft gehoord, en uiteraard hóórde hij nooit eerder iets over de timing van haar vader omdat Graham dat ter plekke verzint. Monty strijkt langs zijn sikje met een veelbetekenend lachje, alsof Delia hem direct de ochtend daarop heeft gebeld om te vertellen hoe Graham zich twee uur in z'n blootje in de linnenkast heeft moeten verbergen – hoewel die twee uur eveneens een nieuwe toevoeging is. Maar zo te zien werkt het op de lachspieren van Delia, die zit te schuddebuiken, en Daniel hoort het hele relaas ogenschijnlijk gefascineerd aan.

Deze oude verhalen die Graham de hele maaltijd lang heeft zitten vertellen, zijn – zoals hij aan zichzelf zal toegeven – voor Daniel bestemd. Gewoon om duidelijk te maken dat hij en Delia een verleden hebben, een relatie, een liefde die niet zomaar opzijgeschoven kan worden na één misstap van haar kant. 'I'm Still Here', dat zong Broadway Lady vanmorgen toen Graham en Delia op de metro stonden te wachten. Een toepasselijk lied voor hen, na afgelopen week. Want hij is er nog steeds en dat geldt ook voor Delia, en dat is alles wat Graham zegt. Hij weet niet wie Daniel heeft uitgenodigd voor de brunch. Hij denkt niet dat het Delia was – Monty misschien? Of Jon? – maar ach, wat maakt het eigenlijk uit. Graham heeft beloofd aardig te zijn als ze hem ooit weer zouden zien. Dat hij hem zo snel, of zo vaak, weer zou zien, had hij niet gedacht, maar Graham heeft besloten dat Daniel waarschijnlijk gewoon eenzaam is, misschien sociaal wat onhandig. Niet meer dan dat. Dus is het nergens voor nodig om lullig te doen of zich op te winden over Daniels aanwezigheid, maar waarom zou hij niet gelijk de gelegenheid benutten om een paar zaken duidelijk te maken?

Wanneer de half leeggegeten borden met bacon, restanten omelet en overgebleven pannenkoeken iets treurigs krijgen, stelt Graham voor te verkassen. Ze kuieren maar een paar blokken door Harvard Square en installeren zich dan aan een van de helblauwe smeedijzeren tafels van een openluchtcafé dat belaagd wordt door duiven en studenten. Deze laatsten inspireren Graham tot zijn eerste snelrijk-worden-plan: 'HBNH: Hartverwarmende Berichten Naar Huis'. Een bedrijf dat jongeren helpt hun ouders om geld te vragen – door liefdevolle e-mailberichten te sturen, valse kwitanties te leveren voor practicumkosten en studieboeken, kleine attenties te kopen die de jongeren naar hun ouders kunnen sturen, voorzien van een briefje met de tekst: 'Dit deed me aan jou denken, mam. Ik mis je.'

Daniel vindt het zo te zien een geestig idee, maar Monty

denkt dat er juridisch wat haken en ogen aan zitten, en waarschijnlijk heeft hij gelijk.

Inmiddels is Graham met zijn derde of vierde idee bezig en z'n tweede of derde mimosacocktail. 'En dan klem je het op je autoruit, zoals een bekerhouder,' legt hij uit, 'maar het is een heel dienblad met ruimte voor je drankje en je Happy Meal. Waarom zou dat niet iets kunnen worden?'

'Ik zeg niet dat het niks kan worden,' zegt Jon. 'Alleen dat iemand het vast al heeft uitgevonden.'

'Nou, ik heb het nog nooit gezien,' zegt Graham, terwijl hij zijn stoel op de achterste poten laat wippen. 'Denk na, man. Amerikanen kopen alles wat van plastic is. We zouden schatrijk kunnen worden.'

'Het enige wat je nog nodig hebt, is een plasticfabriek,' voegt Monty daaraan toe, terwijl hij zijn glas heft alsof hij een toost uitbrengt.

Bij Monty draait het altijd om productiebedrijven en internationale distributiecentra. 'Goed, geen fabrieken,' zegt Graham. 'Dan gaan we terug naar dienstverlening. Iedereen weet toch hoe mensen er de pest aan hebben een appartement te zoeken? Ik zou kunnen uitzoeken wat mensen fijn vinden en dan appartementen voor hen selecteren.'

'Da's een goed idee,' zegt Daniel.

'Dat heet "een makelaar",' zegt Monty. 'Die zijn er al. Maar weet je, dat is wel iets wat je zou kunnen doen, Graham.'

'Het klinkt als een geweldige manier om mensen geld af te troggelen,' zegt Delia, waarbij duidelijk iets verbitterds doorklinkt in haar speelse toon.

'Hé, als er dan toch iemand gaat profiteren van de rol van bemiddelaar...' begint Graham.

'Nu lijk je griezelig veel op mijn vader,' zegt Delia, 'en neem maar van mij aan dat dat niet sexy is.'

Nee, bepaald niet, denkt Graham, terwijl hij een sigaret uitdrukt en het onderwerp laat voor wat het is. Het is hem nooit duidelijk of Delia's vader iets anders doet dan naar Azië reizen om commissie te innen op in sweatshops vervaardigde producten, maar als Graham degene is die dat oppert, snauwt ze hem af.

'Over die lieve vader van mij gesproken,' zegt Delia tegen Monty, 'hij weigert niet alleen mij het parelsnoer te geven voor de volgende Fame Game, hij heeft besloten dat ik helemaal niet aan mama's juwelen mag komen. Schattig, hè?' smaalt ze. 'Mijn moeder overleed toen ik op *high school* zat,' zegt ze, met een vluchtige blik naar Daniel. 'Aan borstkanker.'

'Mij leek altijd dat die ring met die gigantische robijn van je grootmoeder je zo leuk zou staan,' zegt Monty gniffelend. En dan tegen de groep: 'Jullie zouden moeten zien wat die vrouw allemaal droeg.'

'Serieus. De helft is zo protserig dat je zou zweren dat het nep was,' zegt Delia. 'Pa heeft zichzelf wijsgemaakt dat ik alles verkoop zodra ik het in handen krijg. En weet je, voordat hij dat zei, had ik er nooit over nagedacht, maar ik denk dat ik dat inderdaad zou doen. Waarom zou je iets bewaren wat vijftig jaar geleden emotionele waarde had? Elke broche is een paar maanden vrijheid.'

'Dat klinkt als een fantastische titel voor een toneelstuk,' oppert Jon.

'Inderdaad,' zegt Graham, dolblij van haar vader als onderwerp af te zijn. 'Delia Benson schittert in de musical-hit...'

'Nee, nee. Het is geen musical,' zegt Jon. 'Daarvoor is de titel te lang. Het is een tragedie.'

'Wat denken jullie van *De Vrijheid van de Broche?*' voert Delia aan. 'Dat zou wel een musical kunnen zijn.'

Jon en Daniel gaan akkoord, maar Monty blijkbaar niet, want die glipt van tafel zonder iets te zeggen.

'Arme verbitterde Monty,' zegt Graham tegen Daniel. 'Hij was voorbestemd om miljardair te worden. Ik was voorbestemd om zwijnen te fokken, het kan dus fijn zijn om van het uitgestippelde pad af te wijken.'

'Zit je te dollen?' vraagt Daniel.

'Nee, nee,' zegt Jon.

'Het is waar,' zegt Delia. 'Monty en ik zijn samen opgegroeid. Hij zat een paar jaar boven mij op school, en de naam van zijn familie stond overal. Ken je Rosemont Park ten noorden van Boston? Er is zelfs een dorp dat Rosemont heet, daar woonden zijn overgrootouders. Ze zijn een hele tijd lang een van de rijkste families van Massachusetts geweest. Ze kunnen hun stamboom herleiden tot de Mayflower.'

'Maar dat is ook zo'n beetje alles wat ze kunnen,' zegt Graham.

'Op de een of andere manier hebben ze de laatste vijftien à twintig jaar een hoop geld verloren, slechte investeringen en zo, dus nu...'

'Is hij verbitterd,' zegt Graham, met een grijns.

'Wie is verbitterd?' vraagt Monty, die weer aan tafel gaat zitten.

'U, meneer,' antwoordt Graham. 'Omdat u net als het klootjesvolk gewoon moet werken.'

'Nou, ja, ach, da's tijdelijk.'

'Klopt. Ooit gaan we allemaal dood,' zegt Graham, terwijl hij zijn haar achter z'n linkeroor schuift.

'Mijn plan,' zegt Monty, zonder Graham zelfs maar een blik waardig te keuren, 'is om rond mijn vijfenveertigste zo veel mogelijk geld te hebben verdiend, en dan te gaan rentenieren.'

'Klinkt goed,' zegt Daniel.

'De American Dream,' voegt Graham eraan toe. 'Van rijk naar arm naar rijk.'

Iedereen moet lachen behalve Monty. 'Sommige mensen werken,' zegt hij. 'En sommigen van ons kiezen ervoor zo snel mogelijk zo veel mogelijk te verdienen zodat we niet eeuwig hoeven te blijven zwoegen.'

'Helemaal mee eens,' zegt Graham, en hij kijkt de tafel rond op zoek naar bevestiging. 'Plastic lunchbladen. Hoe moeilijk kan het zijn?'

Niemand geeft antwoord. Monty zit te pruilen, Delia zegt iets tegen Jon, en Daniels ogen schieten heen en weer tussen Delia en Graham. Daniels blik heeft iets verontrustends maar herkenbaars nu hij niet lacht of glimlacht of alles beaamt. Een honger. Deze jongen zit hen te bestuderen. Het is alsof hij in gedachten aantekeningen maakt. Graham voelt zowat hoe de energie uit hem wordt gezogen.

'We moesten maar eens afrekenen,' zegt Graham, voordat hij er erg in heeft. En nadat ze de rekening hebben betaald en afscheid hebben genomen, neemt Graham Delia vlug mee naar de metro voordat iemand weer met een plan komt waarvan Daniel deel uitmaakt.

Daniel

Dit lijkt niet het soort boek dat je zou willen lezen. Al dat gepraat. Jij hebt liever boeken zoals de nieuwe roman van Richard Corrone, die je als aanmoediging tegenover je op tafel hebt gelegd. Als je nou maar door die verfoeide presentatie heen kwam die je voor maandag hebt beloofd, dan kon je er weer in duiken. Corrone, die kan pas romans schrijven. Zijn laatste boek eindigde met een afvallige CIA-agent die gevangenzat in een geheim communistisch bolwerk, in Zwitserland nota bene. Het vervolg heeft lovende kritieken gekregen. Natuurlijk weet de agent op spectaculaire wijze te ontsnappen in het eerste hoofdstuk, dat je vlug hebt doorgekeken voordat je het boek opzij hebt gelegd. Je hoeft je in elk geval niet schuldig te voelen dat je vandaag niet bent gaan hardlopen na een middag flink doorhalen. Ingewikkelde achtervolgingsscènes zullen er wel niet zijn in dit boek.

Je zit in het café van Cambridge Books en probeert niet te denken aan Delia of Graham, de brunch vanmorgen of Richard Corrone. Je hoofd zit behoorlijk vol. Een notitieboekje is daarom altijd handig. Je bekijkt je nogal armzalige ideeën voor de toetreding van een Italiaanse bank op de Amerikaanse markt. Bank Rome, zo willen ze het noemen. Daar moet jij over nadenken. Jij was niet voorbestemd om miljardair te worden, dus aan de slag.

Rome... Je moet je richten op de sfeer, de charme van Italië. Zuilen en wijn en olijfgaarden. Misschien een zintuiglijke benadering. Rood. En wit voor de zuilen. Groen voor de heuvels... Zoals de vlag. Wat ben je toch een genie.

Waarom probeert een Italiaanse bank het überhaupt op de Amerikaanse markt? Italië wordt nou niet bepaald als financieel centrum gezien.

Je kunt je totaal niet concentreren, de man aan de tafel naast je laat steeds boeken vallen en je wilt dat iemand tegen hem zegt dat dit geen bibliotheek is. Hij is zojuist weer komen aanzetten met een stuk of twaalf boeken. En hoewel het je niet eerder was opgevallen, is hij kennelijk schrijver, althans zo doen zijn keuzes vermoeden: *The Complete Guide to Character Traits, 20 Plots That Never Fail, Mastering Fiction, Novel-Writing from A to Z.* De man zit over een van zijn boeken gebogen en jij haalt nog wat koffie zodat je ongemerkt een blik op zijn laptop kunt werpen. Het is moeilijk te zien, maar je ontwaart de regel *Thorgon speaks* bovenaan op het scherm.

Om de een of andere reden geven de woorden je een ongemakkelijk gevoel, en terwijl je terugloopt naar je tafel merk je dat je nadenkt over de brunch vanmorgen en de borrel gisteravond en Delia's haastige vertrek vandaag en Graham die haar 's ochtends in de deuropening van de slaapkamer zoent. Dit alles bij elkaar zorgt ervoor dat je je een idioot voelt. Misschien zet je jezelf alleen maar voor gek. Misschien ben je niet gewenst in dit boek. Misschien heb je je doel gediend – als een of ander attribuut in een ruzie tussen Graham en Delia – en blijf je nu te lang plakken. Maar een kans missen wil je ook niet. Hoe vaak in je leven maak je mee dat je...

Je hoort het nu. Het gekras is in de boekhandel. Aardig hard trouwens ook. Je speurt de tafels naast je af, maar nee, het geluid komt niet van een andere tafel. Het concentreert zich rondom jou.

Onvoorstelbaar. In vijf dagen ben je van een nul op de achtergrond in Lilly's veranderd tot iemand die de auteur wil volgen. Het is opwindend om deze status al zo snel te hebben bereikt. Maar ergens ook intimiderend. Je bevindt je per slot van rekening in een boekhandel. Wat moet je doen om de aandacht van de auteur vast te houden? Lezen? Niemand wil lezen over iemand die zit te lezen. Mensen willen lezen over een jongen die iets doet. Alles wat jij nu doet, is staren naar je beker, een eenvoudige witte beker.

Je inspecteert nogmaals de tafels om je heen. De aspirant-romanschrijver, wat lezende studenten, een ouder echtpaar, twee kibbelende vrouwen aan de andere kant. Je zou ze kunnen afluisteren. Het is verleidelijk. Als je alleen was geweest, zou je het misschien doen. Je kunt net horen wat ze zeggen. Je hebt altijd al een vrij goed gehoor gehad. Kon het gefluister van je ouders door hun slaapkamerdeur heen horen: over geld en winst en leningen en je onvoldoendes voor wiskunde. Gefluister en andere geluiden die een kind maar beter niet kan horen. Een paar jaar geleden had je een vriendin die dat kunstje wel kon waarderen – tot je haar op een avond aan de telefoon hoorde in de aangrenzende kamer, wat min of meer het einde betekende van jullie relatie. Je dacht oprecht dat ze een pizza bestelde, vroeg je alleen af wat ze erop wilde. Bleek dat ze een vent had ontmoet op een conferentie; later zijn ze ook nog getrouwd. Zonde. De enige vriendin die ooit een extra fles lenzenvloeistof bij jou heeft laten staan.

Het gekras is nog steeds bij je, stiller maar aanwezig. De auteur wacht tot er iets gebeurt.

'Maar wat?' fluister je.

Een stel tienermeisjes kijkt je aan en mompelt iets tegen elkaar. Oké, stop met in jezelf praten. Denk na. Gaat Delia straks komen? Of iemand anders? Of gaat dit moment alleen over jou? Daar kom je nooit achter. Je kunt echt wel wat hulp gebruiken. Dat schrijf je op in je notitieboekje. 'Ik kan echt wel wat hulp gebruiken.'

Ergens lucht het op de woorden op te schrijven. Maar er gebeurt niets. Wat had je dan gedacht? Dat de oude vrouw van twee tafels verderop naar je toe komt, je hand vastpakt en het proces met je doorneemt? *En op dinsdag gaat u naar een restaurant op Mass. Ave, meneer Fischer...* Dit is bespottelijk. Je kijkt vluchtig naar de schrijver die zich verschuilt achter zijn toren van boeken. Dan zie je dat een van de handboeken door Richard Corrone is geschreven.

Die ontdekking lijkt belangrijk.

Je merkt dat je door de boekhandel loopt alsof je bestuurd wordt – je wordt ook bestuurd, toch? Natuurlijk word je dat. Het potloodgekras zwelt aan terwijl je loopt en binnen een minuut of wat ben je op de afdeling met nonfictie, waar vier planken door boeken over schrijven en marketing worden gevuld. Bijna direct valt je oog op het boek van Corrone: *15 Steps to Writing a Bestseller*. Je pakt het, laat het eerst nog dicht. Misschien is dit niet het juiste boek. De auteur heeft je hiernaartoe geleid, dat staat vast, maar dan zijn er nog altijd tientallen andere handboeken. Hoe kun je weten welke daarvan je moet gebruiken? Aan de andere kant zijn het allemaal creaties van de auteur als ze bestaan in deze wereld, en jij staat hier met dit boek in je hand. Als dit het exemplaar is dat jij eruit hebt gepikt, moet het wel het juiste zijn.

Je bekijkt de inhoudsopgave, vijftien hoofdstuktitels die als Chinese wijsheden voor de schrijver zijn, dingen als 'Begin nooit bij het begin' en 'Laat de waarheid zichzelf openbaren'. De woorden zijn zowel geruststellend als beangstigend. Is dit de manier van de auteur om tegen je te spreken? Je bladert het boek door en stopt ergens willekeurig midden in een hoofdstuk. 'Plant de zaadjes, geef dan de tuin water' is de titel van het hoofdstuk. 'Je moet de personages tijd gunnen gestalte te krijgen,' aldus Corrone. 'Geef de zaadjes ruimte te groeien.' Wat bedoelt hij daar nou mee?

Je neemt het handboek mee naar de koffiehoek, waar de man met de stapel boeken er flink de beuk in zet met het Thorgon-verhaal. Je moet dit boek bestuderen. En je moet de Bank Rome-presentatie afmaken voor maandag. Maar terwijl de auteur meekijkt? Je vraagt je af of Thorgon nooit zin heeft om door het computerscherm heen de man om wat privacy te vragen. Je wilt niet dat de auteur weggaat. Dat zeker niet. 'Maar even een pauze,' fluister je in je hand.

Delia

De levervlek op het linkerjukbeen van meneer Demarco heeft de vorm van Groot-Brittannië.

'Aha,' zegt Delia met een grote glimlach.

En die op zijn kin lijkt een beetje op een kalkoen. Of een kip. Dat is moeilijk te zeggen.

'Werkelijk?'

Hij vertelt haar over zijn carrière in de bestekhandel. Het klinkt nog niet eens zo slecht, mijmert Delia. Van deur tot deur te gaan in een tijd waarin mensen nog de deur opendeden, je binnenvroegen, thee aanboden, en de voordelen van jouw bestek afwogen tegen die van het toonaangevende merk. Hij vertelt dat hij op die manier zijn vrouw heeft ontmoet. Het is een schattig verhaal, maar soms raakt meneer Demarco in de war en denkt hij dat hij het over de vrouw heeft die blikjes Ensure uitdeelt als het tijd is voor wat lekkers.

'Deed u dat echt?' vraagt ze, hem aanmoedigend door te gaan. Hij richt zich niet zozeer tot haar als wel tot haar borsten. Meneer Demarco kijkt graag naar Delia's borsten. De eerlijkheid gebiedt te zeggen dat hij ook graag naar haar gezicht kijkt, maar ze zit hoog op een kruk waardoor haar borsten zich meer op zijn ooghoogte bevinden. Hij zit in zijn rolstoel in de gemeenschappelijke ruimte van het Methodist Home.

Ze zijn zo'n beetje klaar met lunchen. Wat aan de late kant eigenlijk, en Delia heeft nog maar veertig minuten voordat ze terug wordt verwacht op kantoor. Ze kijkt de ruimte rond en zoekt oogcontact met een van de medewerkers, maar tevergeefs.

Die zijn allemaal bezig monden van bewoners af te vegen of de meer hulpbehoevenden te voeren.

'Niet te geloven!' zegt Delia tijdens een onderbreking in meneer Demarco's verhandeling.

Waarom doet ze zichzelf dit aan? Doen alsof ze een goed, zorgzaam iemand is. Ze durft Graham niet te vertellen over deze bezoekjes, laat staan Monty, die zou ontsteld zijn. Maar maakt het echt iets uit of ze wel of niet luistert?

'Ik durf te wedden dat ze beeldschoon is,' zegt Delia tegen hem, niet zeker of ze het nu over de echtgenote of de Ensure-dame hebben.

Hij zegt dat Delia ook beeldschoon is, wat haar doet glimlachen. Ze helpt hem toch maar mooi. En wat dan nog als zij ook iets uit het hele gebeuren haalt. Het is aardig van haar dat ze hier komt, zelfs als ze het aan niemand kan uitleggen, zelfs als ze zich er deels voor schaamt, zelfs als...

'Delia,' zegt een van de verpleegsters, 'we zijn klaar voor je.'

Ze verontschuldigt zich tegenover meneer Demarco, wijst bij wijze van uitleg naar het kleine podium met microfoon, besluit dat de levervlek definitief meer op een kip lijkt en loopt dan de ruimte door naar voren. Het is vijf weken geleden dat ze voor het laatst een microfoon heeft vastgehouden. De laatste keer dat ze voor publiek zong, was hier. De keer daarvoor, hier. Daarvoor... misschien in de Crib op karaokeavond, toch nog altijd spannend. Goed om de stembanden in beweging te houden tot alles anders wordt.

Schalen rinkelen, oudjes kuchen en kletsen.

'Dag allemaal.'

Het geklets zwakt even af.

'Mijn naam is Delia Benson. Velen van u herinneren zich mij wellicht nog. Ik ben hier vandaag om een paar liedjes voor u te zingen terwijl u de lunch beëindigt.'

Iemand aan de tafel pal voor haar roept om nog wat maïs in roomsaus. Over de luidspreker wordt een verpleegkundige opgeroepen.

'Ik wil beginnen met een lied dat ik op de muziekacademie graag zong,' zegt ze, 'maar mijn docenten vonden het helaas ouderwets...'

Een bord valt op de grond in stukken. Een verpleegkundige ruimt het op. Een andere loopt met een kom maïs voor Delia langs en zet deze voor mevrouw Weinberg op tafel.

'... Ouderwets en weinig uitdagend,' gaat Delia verder. Ze bijt op haar lip en kijkt naar de vloer, ziet dan een wazig plasje en dwingt zichzelf weer op te kijken. Enigszins onscherp verschijnt de wirwar van tafels, maar wanneer ze met haar ogen knippert, krijgt ze de zaal opnieuw scherp in beeld. 'Maar goed, ehm, ik denk dat als u aandachtig luistert naar de woorden, dat dit lied... dit lied een zeer krachtig verhaal vertelt dat de inspanning van een muzikant meer dan waard is.'

Delia knikt naar de verpleeghulp aan de piano naast het podium, en als een pianola in een jarenveertigcafé begint de muziek. Toen Delia dit lied bij een talentenjacht op high school zong, droeg ze een rafelige paarse jurk, een dikke laag make-up en een helblonde pruik. Vandaag draagt ze een grijze rok en een zwarte katoenen blazer. Ze wou dat ze ten minste een bloem voor in het haar had gekocht, maar als de piano haar een aanzet geeft, maakt het niet meer uit. Dit voelt goed. De brok in haar keel verdwijnt.

Do you know Rose?
She sings on Sunday nights.
We stop the jukebox
To hear her song.

En terug is Delia, op het podium van haar high school, waar het publiek haar een daverend applaus geeft, waar haar moeder zich achter de coulissen haast om haar onder kussen te bedelven en Monty buiten wacht met een bos rozen.

There was a time she led a
Small-time band. The
Whole town knew her
Then.

En terug is Delia, bij haar auditie voor het New England Conservatory. Een lied van Billie Holiday. Ze vinden haar geweldig. Het hoofd van de afdeling staat erop dat hij haar zangcoach wordt. En in het weekend treedt ze op bij bruiloften en in clubs. Dan verschijnt Graham, de mysterieuze pianist die zich zijn Texaanse accent heeft afgeleerd. Hij wordt haar begeleider en 's avonds zakken ze door met Jon en Monty, en ze lachen dat het een lieve lust is. Nu gaat ze in gedachten terug naar haar juniorrecital; de zaal is tot de nok gevuld en de mensen op de eerste rij huilen. Huilen om Rose.

Rose made a record once
But no one played it.
No one paid a dime.

De vingers van de pianist glijden uit, herstellen zich, brengen Delia terug naar het Methodist Home waar niemand zit te luisteren. Zelfs mevrouw Weinberg niet, die ooit heeft gezegd dat Delia op Natalie Wood lijkt, hoewel dat niet zo is, niet echt.

Do you know Rose?

En de jaren gaan ongemerkt voorbij tot Delia tachtig is en sabbelt op maïs in roomsaus. Een toneelschrijver komt haar opzoeken in het Methodist Home en besluit een verhaal te schrijven over een meisje dat voor lupus geld binnenhaalt en na haar eenentwintigste nooit meer iets doet wat ze wil. Maar Delia mag van hem niet eens de rol spelen.

Then came the time when the
Whole band crumbled,
World came tumbling
Down.

Ze voelt een traan over haar wang glijden maar zingt stug door. Haar stem breekt één keer, één keer slechts. Twee keer. Denk aan iets anders. Grahams waterblauwe ogen, Myra die ze als jong katje bij dat huis in Woburn ging afhalen, die surpriseparty twee maanden voor haar twintigste verjaardag, dat weekend op het strand toen ze autopech hadden.

Do you know Rose?

De zangcoach die haar vertelt dat ze meer klassieke training nodig heeft, dat haar vibrato te uitgesproken is, dat ze opera zou moeten leren waarderen, dat ze haar stem verpest met zingen in rokerige kroegen, dat ze niet hard genoeg oefent. Haar vader die zegt dat ze op eigen benen moet staan, dan die verfoeide cyste van haar, zijn ziekte – en het is bijna een opluchting dat ze niet naar New York hoeft te gaan en maar moet zien wat ervan komt, maar tegelijkertijd ook weer niet. En zij en Graham hebben het zo krap. En dan Grahams mededeling die inslaat als een bom, hij zegt dat hij het alleen maar wil proberen – en er valt niet met hem te praten, dus zegt ze uiteindelijk maar dat het oké is, met de gedachte dat hij het toch niet zal doorzetten. Maar dan thuis op hem zitten wachten en de twijfel telkens als hij 's avonds laat op pad is. En dan tot slot die nacht met Daniel...

Do you know Rose?
She sits home every night,
Except on Sundays
We hear her song.

Een paar mensen klappen. Velen kuchen. Mevrouw Weinberg kijkt stralend op naar Delia, maar Delia heeft haar met hetzelfde enthousiasme voor een poppenkastvoorstelling zien klappen. Iemand heeft meneer Demarco de zaal uitgereden. En hoezeer Delia ook de deur uit naar buiten en direct door naar huis wil rennen, ze doet het niet. Evenmin biedt ze aan nog een tweede lied te zingen; dat doet ze maar zelden. Ze glipt de wc bij de kantine binnen, die naar urine en bleekmiddel ruikt, werkt haar oogschaduw bij, doet nog wat poeder op haar wangen en brengt een extra laag felrode lippenstift aan. Dan sluit ze haar ogen, haalt een paar keer diep adem en schuift de over elkaar buitelende beelden van zich af waarmee haar hoofd vol zit.

'Zijn er nog berichten voor mij binnengekomen?' zegt ze tegen haar spiegelbeeld. Nee, dat klinkt gekunsteld. Ze dwingt een glimlach op haar gezicht. 'Nog iemand gebeld toen ik weg was?' Dat is al beter. Ze kan het. Ze kan teruggaan naar kantoor en ze kan vandaag nog eens achtentwintig mensen bellen en hun verzoeken te overwegen hun jaarlijkse bijdrage te verhogen naar tweehonderd dollar.

Daniel

Je bent weer in Lilly's omdat Corrone zegt dat er geheid iets gebeurt als je personages samen in een ruimte zet. Maar jammer genoeg is er niemand. Althans, niemand die je wilt zien. Overigens is het stampvol.

Het is vrijdagavond, het is je niet meer gelukt een tafeltje te bemachtigen, dus zit je op een kruk aan de bar naast een man die je twintig minuten heeft zitten doorzagen over een buitenechtelijke relatie alvorens te concluderen: 'Echt vreemdgaan is het niet. Niet als je erover nadenkt.'

Om van hem af te zijn doe je alsof je je enorm concentreert, maar er is al meer dan een uur verstreken, en je begint het gevoel te krijgen dat het nogal opvalt hoe je daar zit met je inmiddels lauwe biertje en je opengeslagen notitieboekje. Je voelt geen inspiratie om te werken. Het Rome-team wil iets met geschiedenis, maar het enige wat je vanavond hebt kunnen bedenken, is: 'Rome: Managing Money Since Before Christ'. Dus heb je Rome gelaten voor wat het was, maar om toch de indruk te wekken dat je bezig bent, schrijf je de teksten mee van de nummers die worden gedraaid. En wat interessant is, maar ook een tikkeltje verontrustend, is dat elk lied dat je meeschrijft over mislukking lijkt te gaan: 'It's all over now'. 'I'll be gone'. 'Don't come back to me'.

Eerder vanavond leek het nog een goed idee hierheen te

gaan. Je drinkt je laatste paar slokken bier tussen twee liedjes door en overweegt naar huis te gaan, maar dan hoor je het. Het gekras. Recht boven je.

'Druk?' vraagt de man naast je.

Je had niet op moeten kijken, want je wilt niet praten met deze man. Je hebt veel aan je hoofd, en je bent niet op zoek naar nieuwe vrienden of nieuwe personages om te introduceren bij de auteur of...

Eigenlijk zou je best gebruik van hem kunnen maken. 'Hoor je dat?' zeg je.

'Wat moet ik horen? Die daar?' vraagt hij, met een knik naar de tafel achter je.

'Nee, dat geluid,' zeg je. 'Een soort gekras, als van een potlood dat schrijft.'

De man concentreert zich met een frons die alleen door drie glazen whisky op rij kan worden bewerkstelligd. Dan schudt hij zijn hoofd. 'Sorry. Jij bent de enige die iets oppikt. Is het alsof je oren suizen? Daar heb ik echt de pest aan.'

Nu begint de muziek weer, een of andere akoestische band die je niet herkent.

'Denk je dat het radiogolven zijn?' vraagt de man. 'Of microgolven? Tegenwoordig stikt het van de golven.'

'Dat is zo,' zeg je.

'Ik vraag me af of korte golven anders klinken dan lange. Misschien pikt iedereen wel verschillende golven op, en klinken de golven die jij hoort anders dan de golven die ik hoor. Wat denk jij?'

'Zou kunnen.'

Je hebt het altijd al aan iemand willen vragen. Delia kun je het niet echt vragen. En je kon het je ouders niet vragen

68

die keer dat jullie uit eten gingen en je hoorde hoe een stelletje een paar tafels verderop geschreven werd. Zo'n acht
jaar geleden was dat, op je drieëntwintigste verjaardag, om
precies te zijn. Je ouders ratelden maar door over een of ander nieuw casino dat in Las Vegas werd gebouwd, en je probeerde ze niet te negeren. Maar het was stil in het restaurant
en het stel voerde zo'n intens gesprek, en toen begon het gekras precies boven hen. Juist toen het ook nog eens serieus
werd. De man smeekte om een tweede kans en de vrouw
zei dat ze hem niet meer kon vertrouwen. Het klonk als een
cruciaal moment in hun boek. Je luisterde – knikte zo nu
en dan tijdens het een-tweetje tussen je ouders – en het
voelde vreemd, het besef dat je slechts deel uitmaakte van
het decor, slechts tafelvulling was terwijl het verhaal van dit
stel werd geschreven.

Pas toen je weer thuis was, drong tot je door dat je niet
de hele tijd op de achtergrond had hóéven blijven terwijl
het potlood van de auteur kraste. Je had naar hun tafel kunnen lopen en ze advies kunnen geven. Niet dat mensen
zoiets echt doen, maar het had gekund. Of je had een van
de twee naar de lobby kunnen volgen en buiten bij de wc's
iets kunnen zeggen. Je had de ober een berichtje kunnen laten overbrengen, of langs de tafel kunnen lopen en over de
handtas van de vrouw kunnen struikelen. Als je echt je best
had gedaan, had je belangrijk kunnen zijn voor ze. En hun
boek.

Je was immers al een keer belangrijk geweest in een boek
– zonder er zelfs maar je best voor te doen. Dat was natuurlijk de allereerste keer geweest dat je het krassende geluid
had gehoord, dus je had niet helemaal begrepen wat er aan
de hand was. Het was op een doordeweekse avond in je

laatste *college*-jaar. Je kwam van een feestje bij een vriend op Newbury Street en liep terug naar je studentenhuis. Het was zo rond een uur of drie 's nachts, dus reed de metro al een paar uur niet meer, en er was geen taxi te bekennen. Het was niet meer dan een half uur lopen, dus erg vond je het niet. De straat was leeg en het voelde of er verder niemand in de stad was.

Maar toen, in een waas van winkelpuien, werd je met een ruk een schimmige nis in getrokken, met je gezicht tegen een glazen deur gesmakt, en porde het harde uiteinde van een revolver in je ruggengraat. Ze waren met z'n tweeën, allebei klein, slank en met een bivakmuts op. Het waren meisjes. Van een jaar of vijftien, zestien. Die met het pistool probeerde zo te voelen een gat in je rug te boren. De ander graaide in je zakken en haalde je portemonnee tevoorschijn.

Je voelde een dun straaltje bloed langzaam van je neus op je lippen druppelen en vroeg je af of het pijn zou doen om neergeschoten te worden. Dat hing er waarschijnlijk van af waar de kogel je raakte. Je probeerde je te herinneren welke organen zich waar bevonden, het je te herinneren alsof je het ooit geweten had, wat natuurlijk niet zo was. Niet dat ze je zouden neerschieten, hield je jezelf voor. Dat kon niet.

'Hij heeft twaalf dollar.'

'Ik knal z'n hersens eruit.'

Je deed je ogen open. Je keek een winkel met lederwaren binnen, een aanbiedingenrek met portefeuilles vlak achter de deur.

'Wat heb je verder nog? Een horloge?'

Je stak je arm uit en liet haar het horloge van je pols halen.

'Troep. Da's niets waard. Z'n dure spullen heeft-ie thuis. Ik heb zin hem overhoop te schieten. Zonde van m'n tijd.'

'Je kunt hem niet doodschieten.'

'Waarom niet?'

En daarmee begon een nogal omslachtige discussie over wat de gevolgen zouden zijn van jou doodschieten. Terwijl je stond te staren naar de portefeuilles en het je opviel dat sommige wel meer dan duizend dollar kostten – in de uitverkoop – legde het portemonneemeisje aan het pistoolmeisje uit dat het niemand ene moer kon schelen als ze je beroofden. Maar als ze je doodschoten, zou iedereen het opeens wel erg vinden. 'En daarbij,' zei ze, 'het is een hellend vlak.'

'Waar heb je 't over?'

'Als je nu iemand afmaakt omdat je 't zat bent, maak je er zo nog een af.'

De meisjes stonden voor een grote afweging. Het leek meer geënsceneerd dan echt. Op het moment zelf dacht je dat al. Je was begonnen als een willekeurig iemand die ze beroofden, iemand die ze niet zagen als een persoon met een eigen leven of een bestaan los van dat moment, en toen werd je plotseling een symbool, een keuze, een keerpunt. Dus toen het pistoolmeisje de revolver harder in je ruggengraat drukte en je jezelf 'nee' hoorde fluisteren, sprak je zowel voor haar als je eigen bestwil.

Je wachtte, luisterde naar de ademhaling van de meisjes, de auto's een paar straten verderop en een geluid in de lucht dat je niet kon plaatsen. 'Laat ook maar,' zei het meisje toen en je voelde hoe ze het pistool wegtrok. Plotseling begonnen je knieën te knikken en de meisjes te rennen, hun voetstappen verdwenen samen met het andere geluid in de verte. En ja, het klonk als een potlood. Het schoot zelfs even door je hoofd dat dit het soort voorval was dat geschreven kon zijn. Maar je dacht er verder niet meer over na tot je een paar maanden later ging hardlopen in Boston Commons en het gekras hoorde bij een familiepicknick. Je rende er voor de zekerheid nog een paar keer langs, bleef staan om te rekken, haalde een fles water en ging in de buurt zitten. Er zat een afscheid aan te komen – veel omhelzingen en ongemakkelijk lachen, een paar tranen, iets belangrijks – en boven dit alles zweefde dat bekende geluid. Toen iedereen klaar was om te vertrekken, stond jij ook op en ging het geluid achterna, dat het gezin volgde terwijl het de straat uitliep en de taxi instapte. Op het moment dat de taxi wegreed, begreep je het.

Twee jaar later hoorde je het gekras weer, toen dat stelletje in het restaurant geschreven werd. Toen die tiener, zo'n anderhalf jaar later, maar die ging er bijna onmiddellijk op een fiets vandoor nadat je hem in de gaten had. Je was al achtentwintig toen je in een warenhuis hoorde hoe een man geschreven werd. Je volgde hem een half uur, probeerde te bedenken wat je moest doen, hoopte dat iemand hem zou proberen te ontvoeren of iets dergelijks, zodat je een duidelijke ingang zou hebben. Maar toen liep hij naar buiten het winkelcentrum in, waar het luidruchtig was en je het gekras niet goed kon horen, en uiteindelijk raakte je hem kwijt. Dat was drie jaar geleden. Toen vond je Delia, en hier ben je dan op de bladzij.

Maar waarom word je nú op papier gezet? Op dit moment? In Lilly's? Corrone zegt dat alles een reden moet hebben. Misschien dat je je drinkebroer hier wel over het geluid moest vragen en je dan je beroving en zo zou herinneren zodat het kon worden geschreven. Wat Corrone 'backstory' noemt. Best slim bedacht. Of misschien...

'Daniel?'

Het is Delia. Ze staat pal naast je met een kan bier in haar hand. Achter haar steekt de man die beweert zijn vrouw eigenlijk niet echt te bedriegen zijn duim naar je op.

'Wat ben je aan 't doen?' vraagt ze. 'Zit je te werken?'

Snel sla je het notitieboekje dicht, en Delia's blik volgt de beweging. Je vraagt je af of ze je nu uit gaat lachen omdat je op vrijdagavond zit te werken – maar nee, je bent een schrijver. Dat is anders. Aan een bar zitten schrijven is gewichtig en diepzinnig. Dus knik je en je zegt: 'Ja.'

'Kijk eens wie we daar hebben!' Het is Graham, de begroeting laat hij volgen door een harde klap op je schouder.

'Als je even pauze wilt,' zegt Delia nog, 'ben je welkom bij ons.'

De plek die zij bemachtigd hebben, is slechts twee tafels verwijderd van die waaraan jij en Delia elkaar voor het eerst hebben ontmoet. Je schuift op de bank tegenover ze en Graham schenkt het bier in, en terwijl hij je een glas aangeeft, vraagt hij je te vertellen over je boek. Je zegt dat er nog niet zo veel te vertellen valt, dat je pas net begonnen bent.

'Maar waar gaat het over?' dringt hij aan. En je kunt hem niet echt een antwoord geven, dus gebruik je een zinsnede van Corrone en je zegt dat je nog bezig bent met 'het vertrouwd raken met de personages'.

'Ik duik toch op z'n minst wel even op?' vraagt Delia, waarbij ze theatraal met haar ogen knippert. Je voelt je bleek wegtrekken maar bijna direct wimpelt ze de vraag

73

weg. 'Geef maar geen antwoord,' zegt ze. 'Ik weet zeker dat Monty's liefje Natalie me in een van haar boeken opvoert als feeks die haar kinderen doodt en met een bord couscous verorbert.'

Graham klapt in zijn handen en gniffelt en jij zegt: 'En hoe zit het met jullie? Treden jullie veel op?'

'Neu,' zegt Graham, 'tegenwoordig niet.'

'We deden veel op de academie,' voegt Delia daaraan toe, 'en vlak daarna.'

'Jullie hebben allebei op het New England Conservatory gezeten, toch?'

'Een tijdje,' zegt ze.

'Maar we hebben onze opleiding vergooid,' vult Graham haar aan. 'Is dat niet wat ze zeiden?'

Delia slaat haar blik omhoog. 'Er werd niet voldoende van mij gehouden.'

'Ze probeerden van haar iets te maken wat ze niet was en ik had een hekel aan alle recitals en onzin, dus na twee jaar zijn we vertrokken om aan onze eigen dingen te werken – nou ja, na drie jaar in Delia's geval, twee jaar in mijn geval.' Graham haalt een pakje vloeitjes en shag tevoorschijn. 'We begonnen met het opzetten van een jazzact,' vervolgt hij, 'en ik was bezig wat dingen te schrijven. We deden wat bruiloften en plaatselijke optredens, en we zouden naar New York verhuizen, maar – wat gebeurde er?'

'Nou, jij wilde wat meer tijd om muziek te schrijven en toen kreeg ik die enorme cyste op mijn eierstok.'

'Juist. En toen jouw vaders zogenaamde hartaanval.'

'Het was geen "zogenaamde" hartaanval.'

'Nou, een hartaanval was het niet.'

'Pa dacht dat hij een hartaanval had,' legt Delia uit, 'en

hij was een tijdlang bang, dus toen wilde ik niet meteen verhuizen.'

'Het was gas,' zegt Graham tegen je.

'Het was geen gas! Het was iets van een ruis of zo. Ik weet het niet meer.'

'Hij wilde gewoon niet dat je wegging. Het was psycho-somatisch.'

'Zou kunnen,' zegt Delia. 'Trouwens, heb ik je verteld dat ik woensdag bij hem ben langsgegaan?'

'Nee,' zegt Graham.

'Hij was in Boston voor de vuurwapententoonstelling. Mijn vader verzamelt vuurwapens,' zegt ze tegen jou, ter-wijl ze je bijschenkt.

'Is hij jager?' vraag je.

'Nee,' antwoordt Graham. 'Hij is gek.'

'Hij jaagde wel toen ik nog klein was,' zegt Delia, 'maar tegenwoordig gaat het hem eigenlijk alleen om de wa-pens. Mijn moeder had een porseleinkast waarin ze haar trouwservies bewaarde, een paar jaar na haar dood heeft pa die helemaal leeggehaald en volgestopt met antieke vuurwapens. Hij bewaart een pistool in zijn nachtkastje en ook een in de keukenkast, pal achter de broodtrom-mel. Een bezoek aan hem is een wat morbide aangele-genheid. Maar goed,' zegt ze, terwijl ze zich weer tot Gra-ham richt, 'weet je wat hij tegen me zei? Hij zei dat hij op televisie een programma over ecstasy had gezien, en dat hij wil dat ik weet dat het blijvend hersenletsel veroor-zaakt.'

Grahams lachbui lijkt niet in verhouding tot de grap, als het dat al was.

'Waarom zei hij dat tegen jou?' vraag je.

'Om me te helpen. Mijn vader heeft altijd al een erg positief beeld van me gehad.'

De avond verloopt redelijk soepel, behalve wanneer je Graham naar zijn ouders vraagt. 'Ik haat ze' is het enige wat hij zegt, maar hij zegt het met een glimlach, dus weet je niet zeker of hij het meent. Maar er volgt een lange stilte, wat je een ongemakkelijk gevoel geeft nu de auteur er ook is. Daarom besluit je te vertellen over die keer dat je vader probeerde je over te halen bij zijn bowlingteam te komen. Omdat mensen dat meestal een leuk verhaal vinden. Misschien vertel je het deze keer niet goed, want het komt niet helemaal lekker over. Maar als je ze daarna vertelt over het potje poker waarbij je ouders hun stationcar verloren aan je schoolbuschauffeur, krijgt Graham een hysterische lachbui die zo aanstekelijk is dat jullie uiteindelijk alle drie brullen van het lachen. Zó grappig vond je het verhaal nou ook weer niet, maar je bent blij dat zij het leuk vinden.

Al met al lijken ze vanavond een stuk meer relaxed met jou erbij. Alsof je aanwezigheid niet een beproeving maar meer een vanzelfsprekendheid is. Alsof ze willen dat je deel uitmaakt van hun groep. Delia vraagt zelfs je telefoonnummer en nodigt je uit om volgend weekend mee te gaan naar een optreden. Met de uitnodiging en de aandacht die de auteur aan je besteedt, krijg je het gevoel dat je jezelf daadwerkelijk verzekerd hebt van een rol in Delia's boek, een goed gevoel om mee naar huis te rijden. Maar als je vervolgens je straat inrijdt, schiet Grahams vraag je weer te binnen en bekruipt je opnieuw een onzeker gevoel. Want hoe kun je zeker zijn van je rol als je niet weet waar het boek over gaat?

Monty

Zoals ze daar aan tafel zitten, met wat bordjes met gemari-
neerde olijven, gesauteerde asperges, paprikasalade en kip-
kerrie, omringd door de hoge lavendelkleurige muren en
purperblauwe gordijnen van de tapasbar, vindt Monty dat
het lijkt of iedereen zich voor een andere gelegenheid heeft
gekleed. Hij heeft de première van *Fragile* uitgekozen om
zijn nieuwe marineblauwe Brooks Brothers-pak te dragen,
waarmee hij tot zijn genoegen spontaan bewondering
oogstte bij Natalie. De schouders zijn enigszins hoekig en
zorgen ervoor dat hij er niet zo mager uitziet en de krijtstreep past goed bij Natalies lichtblauwe zijden avondjurk.
Ze draagt vanavond wel erg hoge hakken, wat Monty een
beetje onnadenkend vindt omdat zij dan zo boven hem uit-
torent, maar verder ziet ze er prachtig uit. Het parelsnoer
van haar grootmoeder ligt fraai om haar ranke hals en door
haar kastanjebruine haar heen fonkelen de kleine saffieren
oorbellen die hij haar afgelopen Kerstmis heeft gegeven.
Jon heeft Natalie tijdens de pauze gecomplimenteerd met
haar oorbellen en Monty is hem daar dankbaar voor. Het is
niet altijd gemakkelijk haar het gevoel te geven dat ze welkom is in deze groep.

Monty moet bij de schouwburg te zeer zijn afgeleid door
Natalies aanwezigheid, de opwinding van de groep en Jon
– die pas op het nippertje kwam aanzetten – om het in de

gaten te hebben, maar het verschil in kleding valt behoorlijk op in het licht van de tapasbar. Graham draagt een rood geruit overhemd met een zwarte blazer, dezelfde vormloze blazer die Monty hem naar elk toneelstuk, elke recital en voorstelling heeft zien dragen sinds Graham op zestienjarige leeftijd op het conservatorium verscheen. Naast hem zit Delia in een rood satijnen uitdragerijgeval met een zwarte sjaal en avondtasje. Ze had net zo goed zelf op het toneel kunnen gaan staan. Maar Monty zal Natalie er nog wel even op wijzen dat ondanks Delia's zigeunervoorkomen haar vader waarschijnlijk meer heeft betaald voor de laarzen die ze draagt dan Monty voor z'n nieuwe pak. Het is een mooi pak maar dat het zo veel pluisjes aantrekt, is wel vervelend.

Jon ziet er tamelijk tam uit vanavond. Hij kan dat kanariegele poloshirt eigenlijk prima hebben met z'n bruine kleurtje en blonde haar, maar zo'n vrijwel spierwitte broek zou tot na Memorial Day achter gesloten deuren moeten blijven. Aan de andere kant kun je in juni moeilijk corduroy dragen. Nee, die broek had nooit gemaakt mogen worden. Maar beter dat hij ditmaal voor corduroy heeft gekozen dan de leren broek die hij de vorige keer dat Natalie er was droeg. Daar had ze een hoop op aan te merken gehad. Ze kan wat meedogenloos zijn als het om Monty's vrienden gaat.

Het zijn natuurlijk allemaal veroveringen van Delia. Ze heeft altijd al interessante types verzameld. Toen ze nog op high school zaten, had ze de Waverly-tweeling al en die jongen die tuba speelde en drugs verkocht. En wat zou er toch gebeurd zijn met die schilder, die kerel met die snor aan wiens ranzige humor Monty voor de lol zogenaamd aan-

stoot nam? Afgelopen zomer was die constant met hen opgetrokken, en vervolgens verdwenen zonder dat iemand er
iets over had gezegd.

Deze laatste aanwinst is wat verwarrend.

Daniel is onopvallend gekleed in een beige broek met
blauwe blazer en wit overhemd, zonder das. Koperrood
haar en onder de sproeten. Monty ging er een paar week-
ends geleden van uit dat hij een tijdelijk verzetje was, maar
blijkbaar hebben Delia en Graham afgelopen weekend
weer met hem zitten borrelen. Waarom is Monty volstrekt
onduidelijk. Daniel zegt niet veel en als hij wel wat zegt, is
dat zelden iets zinnigs. Natalies schrijversvrienden in New
York vertellen aan één stuk door verhalen, maar Daniel
luistert meestal alleen en lacht op de juiste momenten... op
zich geen slechte eigenschap. Misschien dat Delia hem in
de buurt houdt als vers publiek voor Graham. Monty heeft
in elk geval genoeg van zijn verhandelingen. Hoe ze het al
zes jaar met hem uithoudt, is een raadsel. Een beetje aan-
klooien is prima als je nog studeert, maar na verloop van
tijd gaat de lol daar wel van af.

Natalie kan Graham niet uitstaan, maar op Delia is ze
ook niet echt dol. Delia is dan ook zelden echt aardig tegen
vrouwen. Vanaf het moment dat Natalie een kritische opmerking over de voorstelling van vanavond heeft gemaakt,
verdedigt Delia elke regel, beweging en afzonderlijke mu-
zieknoot, en Jon is haar te hulp geschoten door het stuk uit
te roepen tot de nieuwe *Who's Afraid of Virginia Woolf?*

'Ik dacht dat je die voorstelling in het Shubert-theater al
de nieuwe *Who's Afraid of Virginia Woolf?* vond,' zegt Monty.

'Nou, dan is dit die daarop,' antwoordt Jon.

'Ik zeg alleen dat zijn vorige stuk duidelijk beter was,' legt Natalie uit. 'Vind je ook niet, Mont?'

'Mont?' zegt Delia met nadruk.

'Dat was heel goed,' antwoordt hij, waarbij hij Delia's blik vermijdt. Hij kan zich de voorstelling niet herinneren, maar ze gaan vaak naar de schouwburg als hij bij Natalie in New York is. Als Monty het een vreselijk stuk had gevonden, had hij dat zeker nog geweten.

'Het heeft uitmuntende kritieken gekregen,' gaat Natalie verder.

'Dan moet het wel grandioos zijn geweest,' sneert Delia. 'Jon, heb jij het gezien?'

Jon haalt zijn schouders op. 'Het was wel oké, maar het werd in dezelfde tijd opgevoerd als *Madison*, waar ik zoals je weet helemaal gek van was – daar had ik zo'n beetje mee willen trouwen – daarnaast verbleekte toen alles.'

'*Madison* was goed,' beaamt Monty. 'Ik dacht dat het ook naar Boston kwam.'

'Nee,' antwoordt Jon. 'Vlak nadat ik het gezien had, werd het volledig afgekraakt in de pers. De week daarop is 't gestopt.'

'God, wat heb ik een hekel aan recensenten,' verkondigt Delia met voldoende volume om ook de tafel naast hen te informeren. 'Waarom moet mensen worden verteld wat ze goed moeten vinden?'

'Omdat mensen koeien zijn,' antwoordt Graham.

Deze dialoog heeft Monty eerder gehoord en de herhaling irriteert hem.

'Vertelde jij nou dat je acteur bent?' vraagt Daniel aan Jon. Godzijdank dat hij het onderwerp verandert.

'Nee, hoor. Ik acteerde vroeger, maar nee, nu niet meer.'

'We hebben elkaar ontmoet toen we samen een voorstelling deden,' vertelt Delia aan Daniel, haar woorden beginnen in elkaar over te lopen. Monty heeft er nog niets van gezegd, maar hij vindt dat ze de laatste tijd wel erg veel drinkt.

'Waarom ben je gestopt?' vraagt Daniel aan Jon.

Het duurt wel een minuut voordat Jon antwoord geeft. Hij kijkt de bar rond, speurt de ruimte af, dat is Monty zich bewust. Hij doet het elke keer als Natalie er is. 'Goh, wie zou dat nog weten?' zegt Jon tegen Daniel met een knipoog. 'Ik denk dat het botste met mijn uitgaansleven.' Een moment later is Jon aan de andere kant van de ruimte in gesprek met een jongeman met een bril en een rare kuif. Binnen het uur liggen die met elkaar in bed, dat weet Monty zeker. Het is maar goed dat Natalie niet zo scherp is als ze kan zijn. Misschien is dat wel wat Daniel doet, mensen bestuderen en zoeken naar materiaal. Natalies poëzie lijkt allemaal over haarzelf te gaan, maar sommige schrijvers leggen hun oor te luisteren, gebruiken dingen uit de wereld om zich heen.

Het gesprek is doorgegaan zonder Monty. 'Het is algemeen bekend,' zegt Natalie. 'Hij heeft door Italië getoerd, is bij het Boston Philharmonic gegaan en er daarna in zijn eentje vandoor gegaan.'

O jee, ze heeft het over het Powell-boek. Monty's vrienden vermijden doorgaans elke verwijzing naar hun werk, maar Natalie houdt zich liever niet aan deze ongeschreven regel. De eerlijkheid gebiedt te zeggen dat de uitgeverswereld in de regel meer interessante gespreksstof oplevert dan de baan van Monty, Delia of Jon. En wat weet Graham nou helemaal van werken.

'Mensen liegen in hun cv,' zit Graham te beweren. 'Aan de lopende band. Zo komt de helft van de mensen in dit land aan hun baan. Dat is de American Way.'

'Ja, kan wel zijn dat ze liegen,' pareert Monty, 'maar in dit geval klopt het wel. De redactie controleert alles voordat een boek wordt uitgegeven. Toch, Natalie?'

'Niet alles, maar ik weet zeker dat ze gecontroleerd hebben of hij bij het Philharmonic begonnen is voordat ze hem er een boek over hebben laten schrijven.'

'Dat zou ik moeten doen,' verkondigt Graham. 'Een verhandeling schrijven over het Boston Philharmonic of zo. En dan gewoon de hele boel bij elkaar verzinnen. Zouden jullie dat ook uitgeven?'

Daniel lacht precies op het juiste moment. Delia lacht ook, maar bij haar is het duidelijk nep.

'Daniel is schrijver,' voert Monty aan. En daarmee lijkt Graham uitgeschakeld.

'Echt waar?' vraagt Natalie.

'Hij is bezig met een heuse roman,' verkondigt Delia met een glazige blik.

'Wat geweldig,' zegt Natalie. 'Zijn er al boeken van je die ik heb gelezen?'

'Nee, hoor, nee,' zegt Daniel, terwijl hij zijn hoofd schudt.

'Gepubliceerde verhalen?'

Daniels gezicht wordt bijna net zo rood als Grahams overhemd, wat een antwoord min of meer overbodig maakt. 'Niks bijzonders,' zegt hij ten slotte.

'Maar die zijn er wel?' zegt Natalie. 'Waar?'

Alle ogen zijn nu op Daniel gericht, die zo te zien niet erg geniet van al die aandacht. Het kost hem even om de woorden eruit te krijgen. 'Alleen in wat kleine blaadjes,' zegt hij uiteindelijk. '*The Violet Stream* en, ehm, *Wisconsin Review.*'

'De *Wisconsin Review,*' herhaalt Natalie. 'Da's niet iets om luchtig over te doen.'

'O,' zegt hij, terwijl hij de steel van zijn glas laat draaien. 'Maar het is alweer een tijd geleden. Ik ben nu net weer een beetje op gang.'

'Nou, goed hoor,' zegt ze. 'Als je boek af is, wil ik het dolgraag zien.'

'Natalie is redacteur bij Random House,' zegt Monty tegen Daniel. 'Ze werkte vroeger voor de *Harvard Review.*'

Daniel slaat zijn blik neer. 'Wat goed,' zegt hij.

'Ik ken een hoop mensen,' zegt Natalie tegen hem. 'Ik zou je heel graag helpen als dat kan.'

'Geweldig,' mompelt Delia.

Monty voelt het al aankomen voordat Natalie onder tafel op zijn knie begint te tikken. Haar teken dat ze weg wil. Dus ontfermt hij zich over de rekening en neemt afscheid van iedereen, en hij is een tikje verbaasd als noch Graham noch Delia iets zegt over zondag samen brunchen. Misschien is het omdat Natalie erbij is, maar het kan ook door Daniel komen. Delia kan wispelturig zijn. Het is maar beter ook, want eigenlijk is Monty de rest van Natalies bezoek liever met haar alleen. Dit is voor haar al voldoende om hem de komende twee uur te blijven vragen wat hij toch ziet in deze mensen.

'Die schrijversvriend van jou lijkt me aardig,' zegt ze tegen Monty, als ze naar de auto lopen. 'Ik moet zijn verhalen eens opzoeken als ik weer thuis ben.'

Daniel

Het gekras is nu in je appartement. Je werd er wakker van. Hoewel het vijf uur 's ochtends is. Je bent pas drie uur terug van de tapasbar en je lichaam wil nog niet uit bed. Het is leuk dat de auteur je dergelijke aandacht waardig acht, maar zo vroeg al? Staat er soms iets spannends te gebeuren? Misschien is dit een waarschuwing. Er gaat iemand bellen. Maar dan zou de telefoon je kunnen wekken. Of misschien komt er zo iemand langs, o nee, dan zou de deurbel gewoon kunnen gaan. Tenzij...

Tenzij er iemand aan het inbreken is. Nu begint de adrenaline te pompen. Je graait in je nachtkastje en pakt de zaklamp – niet het o-nee-de-stroom-is-uitgevallen-zaklampje, maar de één-klap-op-je-kop-en-je-hersens-lopen-leeg-lantaarn. Je sluipt zachtjes naar de slaapkamerdeur en knipt de lamp aan in de zitkamer. Niemand die rondsluipt of zich achter de beige bank of stoel verbergt. Het gekras volgt je terwijl je door de zitkamer sluipt en je hoofd om de hoek van de keuken steekt. Ook leeg. Je woont op de tweede verdieping van een appartementengebouw, maar hoort niets bewegen op de vloer boven of onder je. Niets uit het appartement van de buren. Je gluurt door het raam van de zitkamer naar buiten, maar ziet alleen de verlaten straat. In feite dool je dus in het donker in je boxershort met een zaklantaarn als honkbalknuppel. En dat wordt geschreven.

En ondertussen is je appartement een grote puinhoop. Je bent blij dat de auteur er weer is, maar echt voorbereid op gezelschap was je niet. Je trekt de met zweet doortrokken sportkleren van de douchestang en propt ze in de wasmand, haalt een washand over de wastafel om de haartjes van het scheren op te vegen. In de spiegel zie je dat je haar alle kanten op staat; dwars over je besproete borst loopt een afdruk van de lakens. Dus pak je een T-shirt en joggingbroek van de vloer, je Red Sox-petje van de ladekast. Je raapt de rest van de kleren op, maakt je bed op. Je bent geneigd de stapel afwas in de keuken onder handen te nemen, maar geeft er niet aan toe omdat het nu belachelijk begint te worden. Je hebt de auteur eindelijk zover dat-ie al je doen en laten vastlegt en vervolgens sta jij je appartement op te ruimen. Je doet water en koffie in het koffiezetapparaat, mikt een bevroren bagel in de magnetron en gaat aan tafel zitten. Het gekras is nog steeds bij je, zwak maar constant. Je moet erachter zien te komen wat hier gebeurt. Als de auteur een beschrijving van je appartement wil geven, hoef jij daarvoor niet aanwezig te zijn. Niet wakker te zijn. Het is duidelijk de bedoeling dat je iets dóét. Maar wat? 'Ik kan je gedachten niet lezen,' zeg je om je heen. 'Kun je een teken geven of zo?'

Het koffiezetapparaat pruttelt. De magnetron rinkelt. Wat had je verwacht? Je neemt een hap van de bagel, die wat naar lijm en spons lijkt te smaken. Je kauwt met moeite.

Je pakt een bord, gaat weer zitten. Je moet grip op je rol zien te krijgen. Met man-die-met-anderen-borrelt kom je er niet. Je moet je actiever opstellen.

Maar aan de andere kant, hoe actief is nou eigenlijk

iemand in dit boek? Zo te horen zijn het getalenteerde mensen, maar niemand die optreedt, auditie doet of wat dan ook. In plaats daarvan hangen ze maar wat en kletsen over het uitvinden van plastic reisbenodigdheden. Dat is alles wat ze doen, hangen en kletsen. Wat is dit voor boek? Niet het soort dat verfilmd wordt, dat staat vast. Een inbraak was eigenlijk best cool geweest. Niet echt relevant maar wel spannend.

Je schenkt jezelf een kop koffie in en als je weer gaat zitten, glijdt je blik over een stapel tijdschriften op de grond. Het gekras zwelt aan. Langzaam laat je je op je knieën zakken en zoek je de stapel door, en als je hand op het *Boston*-magazine van vorige maand valt, maakt het potlood twee luide krassen. Het is een special over muziek. De kop luidt 'Michael Powell's Rise from Obscurity to Stardom'. Wat lager zie je de titel 'Music Reviews: The Best CDs You've Never Heard'. Om je heen is het gekras aangezwollen en je barst in lachen uit.

'Jij windt er ook geen doekjes om, hè?' zeg je, terwijl je naar het plafond kijkt.

Michael Powell is de bluesmuzikant over wie Graham en Natalie het gisteravond hadden, dus neem je het tijdschrift mee naar de bank om de recensie van Powells biografie te lezen. Powell speelde saxofoon in kleine bluesbandjes, viel voor een vriend in als klarinettist bij een tournee door Italië en Zwitserland, kreeg vervolgens een telefoontje van het Boston Philharmonic. Hij had een hekel aan de dirigent daar en wilde weer sax spelen, dus op zijn vrije avonden ging Powell terug naar de clubs en nodigde iedere *agent*, plugger, recensent en platenbons uit die hij kon bedenken om hem te zien spelen. Meestal kwam er niemand opdagen, maar na verloop van tijd kreeg hij een aantal goede recensies, wat ertoe leidde dat een stagiair van een platenbedrijf bij een van zijn optredens langskwam. Een jaar later stond hij met zijn cd bovenaan in de hitlijsten. Mooi verhaal. Powell had de nodige ambitie.

Met het tijdschrift in de hand ga je in je zitkamer achter de computer zitten en je begint een recensie te typen van een fictief concert van Graham. Je antidateert het artikel twee jaar en laat het concert plaatsvinden in een van de kleinere clubs die in de 'What's Happening'-katern van het blad worden genoemd. Eerst valt het schrijven je zwaar, maar dan begin je begrippen als 'vibrerende melodielijnen' en 'daverende crescendo's' uit de muziekrecensies over te nemen en schrijft de recensie zichzelf zowat. Kijk, ben je toch maar mooi een schrijver. Eigenlijk is het in grote lijnen hetzelfde als de marketing van wat dan ook – een bank, een softwarebedrijf, een schoenenmerk. Je moet alleen het juiste jargon zien te vinden.

De twee daaropvolgende recensies houd je kort zodat je ze kunt toeschrijven aan vaste schrijvers van het *Boston*-magazine en de *Boston Globe*. In de laatste recensie gebruik je alle gewichtige woorden die je in de andere artikelen niet kwijt kon – zoals 8-horizontaal: 'contrapuntisch', en 22-verticaal: 'sonoriteit', afkomstig uit de kruiswoordpuzzel van *Boston*-magazine – en deze recensie wijs je samen met de eerste toe aan een stel plaatselijke muziekkrantjes die je op internet vindt. Al met al kost het schrijven van de artikelen je niet meer dan een paar uur. De brief van Grahams agent ook nog eens een uur en dan zijn er nog wat gaten die moeten worden gevuld, maar tegen de tijd dat je online de post- en e-mailadressen van de wat kleinere concertzalen en muziekproducenten buiten Boston begint te zoeken, ben je maar wat tevreden met jezelf.

Dit wordt een vreemde-komt-langs-en-laat-zien-hoe-het-moet-boek. Verhaallijn 12 of 13 van Corrones lijst. En die vreemde ben jij – een prima rol. Dus om te beginnen ga je ervoor zorgen dat Graham audities gaat doen. Hij heeft de meeste vrije tijd van iedereen – hij is werkloos, hij heeft het nodig. Als hij dan eenmaal wat meevallers krijgt, zal Delia zich zo aangemoedigd voelen, en Jon ook, dat ze weer gaan optreden. Misschien dat Graham ze dan aan werk kan helpen, of dat jij kunt optreden als hun manager – misschien zelfs als hun impresario. Je hebt mensen die dat doen. En dan worden ze allemaal een groot succes, en dat is dan dankzij jou. 'Goh, als we Daniel niet hadden gehad...' zullen ze zeggen. En op de korte termijn strijkt het de boel wat meer glad tussen jou en Graham. Delia is vast ook in haar nopjes met jou. Hiermee ga je echt deel uitmaken van hun boek.

En het is bijna alsof de auteur zegt: 'Juist, Daniel. Dat is wat ik wilde,' want zodra je de computer uitzet, stopt het gekras.

Er schuiven steeds meer mensen aan en het gesprek wordt steeds luidruchtiger naarmate de avond vordert. Jon is als laatste gekomen en heeft aan het hoofd van de tafel een stoel bijgeschoven. Monty zit naast je en is vanavond bijzonder vriendelijk. Zaterdag is longdrinkavond in Lilly's, en de tafel staat vol met lege glazen met schijfjes limoen en steeltjes van cocktailkersen. Je wilt Graham en Delia vertellen over je brief en het bericht dat je vanmorgen van een van de concertzalen kreeg en het mailtje eerder deze week.

Dit wordt zo'n 'doorbraak'-scène waar Corrone het over heeft. Graham staat op het punt door te breken. Het moment dat Delia en Jon besluiten er ook voor te gaan. Urenlang formuleer en herformuleer je de aankondiging in je hoofd terwijl je het onderwerp muziek probeert aan te snijden, maar er valt geen enkele stilte en je krijgt geen grip op het gesprek. Het kabbelt voort over een onderwerp, duikt dan plotseling in een gat en komt achter je weer tevoorschijn. Het splijt in tweeën, komt op de meest onwaarschijnlijke plekken weer samen, splitst dan weer, volstrekt onverwachte kanten op, alvorens op natuurlijke wijze terug te keren en antwoord te geven op een vraag die veertig minuten eerder gesteld is.

Uiteindelijk loop je achter Graham aan naar de heren-wc's. Niet het ideale decor voor deze scène, maar het is het eerste rustige moment van de avond en als de doortrekgeluiden eenmaal zijn weggestorven, weet je zeker dat het gekras je gevolgd is. Het is zover.

Graham snuit zijn neus. Jij wast je handen. Naast hem bij het fonteintje vang je z'n blik op in de spiegel en dan zeg je het. 'Graham, ik ben een beetje vrijpostig geweest,' begin je, maar dat klinkt helemaal verkeerd, roept ongemakkelijke herinneringen op. Dus je draait een halve slag zodat je hem kunt aankijken – van dichtbij is hij ontzettend lang – en je begint opnieuw. 'Een paar weken geleden had ik een creatieve bui...' Maar dat klinkt ook niet helemaal goed. Je had deze dialoog toch woord voor woord uitgeschreven in je hoofd? Maar je bent kwijt wat je van plan was, dus haal je een uitdraai van het mailtje uit je zak en overhandigt die aan Graham. Zijn wenkbrauwen fronsen als hij begint te lezen.

'Mijn impresario?' zegt hij.

'Hm hm.'

'Is dit een grap?'

'Nee,' antwoord je. 'Zo te zien goed nieuws, toch?'

'Zo te zien wel, ja,' mompelt Graham, terwijl hij nog steeds naar het mailtje staart. Het is van het symfonieorkest van Providence, Rhode Island. Ze zijn voor de zomerreeks op zoek naar een solopianist.

'En, ehm, ik heb ook nog een telefoontje gehad,' zeg je. 'Van een klein zaaltje in Lowell. Ik weet niet meer hoe ze heten, maar ze houden audities voor nieuwe artiesten. Zeiden dat ze graag een cd met je werk willen ontvangen.'

'Een cd met mijn werk,' lacht Graham. 'Nou nou, ik ben populair.'

'Ik heb het gewoon voor de lol gedaan, weet je,' zeg je tegen hem. 'Ik dacht maar zo, nu jij toch even zonder werk zit, is dit het moment bij uitstek, toch? Ben je boos?'

Op Grahams gezicht verschijnt een brede grijns. 'Ik ben niet boos, hoor,' zegt hij. 'Dit is het grappigste wat ik ooit heb gehoord! Kom.' En hij grijpt je bij de pols en sleurt je mee terug naar de tafel. 'Attentie! Attentie!' roept hij, waarbij hij een van Jons verhalen onderbreekt. 'Driemaal raden wie aan deze tafel zich heeft voorgedaan als mijn impresario en twee audities voor me heeft geregeld?'

'Meen je dat?' vraagt Delia, terwijl haar ogen heen en weer schieten tussen Graham en jou.

Je trekt je schouders op en Delia grist de uitdraai uit Grahams hand.

'Het Providence Symphony Orchestra!' gilt Jon, die over haar schouder meeleest.

'Allemachtig,' zegt Monty. 'Hoe heb je dat gedaan?'

'Gewoon een brief en een paar recensies gestuurd.'

'Recensies?' vraagt Graham. 'Wat voor recensies?'

Je hebt Delia nog nooit zulke grote ogen zien opzetten. Je hebt niet meer zo veel aandacht van haar gevoeld sinds jullie eerste ontmoeting aan het tafeltje hiernaast. 'Uit *Boston*-magazine,' zeg je. '*New England Jazz*, ehm... ik weet het even niet meer. Ik heb er nog een paar geschreven.'

'Heb je recensies geschreven?' vraagt Jon.

'Ja.'

'Kennelijk loont het om een schrijver in je vriendenkring te hebben,' stelt Monty.

'Kennelijk, ja,' zegt Graham. 'Wat heb je over me gezegd?'

'Als je wilt, kun je ze lezen,' zeg je, terwijl je een kopie van de brief en artikelen uit je jaszak vist. 'Zoals je ziet,' zeg je lachend tegen Graham, 'werd je alom bewonderd.' Graham werkt het stapeltje af, grinnikt zo nu en dan en gooit telkens de bladzij die hij heeft gelezen op tafel.

'Vibrerende melodielijnen?' zegt Monty, terwijl hij een van de artikelen doorgeeft aan Jon.

'Wat een giller,' zegt Jon. 'En, ga je Daniel meenemen naar je audities? In een tweedpak met een hoornen brilletje op, net als een echte impresario?'

'Leuk idee,' zegt Graham, 'maar ik ga die audities echt niet doen.'

'Wat?' vraagt Delia.

Dit is niet de reactie die je verwacht had.

'Neem je me nou in de zeik?' zegt hij tegen haar. 'Je weet dat dit niet is waar ik naar op zoek ben. Mijn sonate is nog niet klaar, ik heb helemaal geen cd, laat staan dat ik weet waarmee ik auditie zou moeten doen.' In de stilte die volgt, trekt hij een gerolde sigaret uit zijn borstzak, steekt die aan en hoest terwijl hij uitblaast. 'Mensen, ik voel me klote,' zegt hij, 'dus ik laat het hierbij voor vanavond. Daniel, bedankt voor je vertrouwen. En het vermaak.'

Iedereen kijkt ergens anders heen als Graham vertrekt. Delia staart naar het e-mailbericht, dat in een plasje op tafel ligt, Jon raapt de recensies bij elkaar in een stapeltje en Monty tuurt glazig naar de deur. 'Die brief was echt geniaal,' zegt hij even later tegen je. 'Maar verspilde moeite, als je 't mij vraagt.'

'Nee,' zegt Delia zachtjes. 'Graham voelt zich niet goed vanavond. Morgenochtend waardeert hij het wel.'

Maar dat is niet zo. Dat weet je. Dat weten jullie allemaal. Dat weet de auteur ook. Iedereen ontwijkt je blik en je voelt dat je begint te zweten. Probeert de auteur je soms in een kwaad daglicht te plaatsen? Vreemde-komt-langs-en-zet-zichzelf-voor-schut. Zo voelt het wel.

Graham

Graham belt met zijn mobiele telefoon en regelt de afspraak tijdens de korte wandeling van Lilly's naar Porter Square Station. De man heeft een paar dagen geleden een bericht achtergelaten – hij is nieuw voor Graham, moet een advertentie hebben gezien in een van de oude krantjes. Graham was niet van plan te reageren, maar hij heeft om de een of andere reden het bericht bewaard, en nu is hij blij dat hij dat heeft gedaan. Hoe halen ze het in hun hoofd? Alsof Graham zit te wachten op Daniels medelijden en ongein.

Tijdens de metrorit zakt zijn woede weg, en het restant gedachten aan het voorval bij Lilly's laat hij achter op Park Street Station, waar hij overstapt op de Green Line. Tegen de tijd dat hij in een rustig hoekje zit in The Silent Owl heeft Graham zijn gevoel zogoed als uitgeschakeld, op wat beheerste nieuwsgierigheid en een vleugje schuldgevoel na.

Het idee is een paar maanden geleden bij hem opgekomen nadat hij in rap tempo bij Mick's Diner en de Olde Music Shoppe was ontslagen. Hij zat bij Jon aan de bar wat te drinken toen een reeks kleine advertenties op de achterpagina van een gaykrant zijn aandacht trok: advertenties voor gezelschap, escortservices en erotische massages. Hij vroeg aan Jon hoe mensen zo ongegeneerd een advertentie konden plaatsen, waarop Jon zei dat hij maar eens in een willekeurig telefoonboek onder 'escort' moest kijken en daar net zo goed een hele lijst zou aantreffen. Zolang de advertentie discreet was en de prostitué wachtte tot de klant de eerste stap zette, hoefde je van de politie niets te vrezen. Graham had er op dat moment verder niets meer over gezegd, maar hoe meer hij naar de advertenties keek, hoe aanlokkelijker zulk lucratief en relatief eenvoudig werk hem leek. Dus had hij het met Delia besproken en een advertentie geplaatst: HETEROSEKSUELE COWBOY, IM90, 23 JR.

Als hij zijn klant The Silent Owl ziet binnenlopen, maakt Graham geen aanstalten zich kenbaar te maken. Hij zal het eerst even aankijken, zien hoe de man zich gedraagt. Graham heeft tot nu toe vijftien afspraken gemaakt en zijn selectieprocedure is inmiddels geperfectioneerd. Net als bij de eerste keer heeft hij de man gevraagd naar de kleur das die hij zal dragen maar geen informatie gegeven over zichzelf. Vanuit een anonieme positie kan Graham kijken of er alarmerende tekenen zijn: te ontspannen of te gespannen, wazige blik, overdreven ongezond of onverzorgd, bewegingen die eventueel duiden op een gewelddadige aard. Graham heeft tot nog toe drie mannen afgewezen: de eerste leek een of ander middel te gebruiken waarvan zijn lichaam ging schokken.

Zijn potentiële klant van vanavond heeft peper-en-zouthaar, draagt een grijs maatpak en een grote, gouden trouwring. Hij ziet er fris uit, vrij fit. Graham diept z'n beste Texaans op als de man langs zijn duistere hoekje loopt en zegt lijzig: 'Da's een fraaie blauwe das.'

De beheerste gezichtsuitdrukking van de man slaat slechts een seconde om in verbazing. 'O, dag,' zegt hij. 'Is het goed als ik bij je kom zitten?'

Graham knikt langzaam. De man heeft dit eerder gedaan.

'Kan ik je iets te drinken aanbieden?' zegt de man.

Graham werpt een blik op de cocktail in zijn hand.

'Nou, straks misschien.' Er volgt een lange pauze. 'Dus...'

'Ja, dus...'

Misschien heeft hij toch niet zo veel ervaring, denkt Graham. De tweede man die Graham afwees, weigerde het onderwerp aan te snijden binnen de tien minuten die Graham daarvoor had uitgetrokken. Hoewel hij niet echt dacht dat het opdondertje met astma een politieman in burger was, was Graham niet van plan enig risico te nemen. Daarnaast kan hij geen geduld opbrengen voor nerveuze mensen.

'Nou, ik moet er over een paar minuten weer vandoor,' zegt Graham tegen de man.

'Juist, nou, ik hoopte...'

'Ja? Wou je soms iets zeggen?'

'Is tweehonderd dollar oké?'

'Voor...?'

De man kijkt naar de tafel en noemt een paar onbeduidende seksuele handelingen.

'Tweehonderdvijftig.' Vijftig heb je er altijd zo bij opgeteld. 'En mijn mond is verboden terrein, maar de rest is prima.' De derde keer dat Graham van een klant heeft afgezien, was er wat onenigheid over wat Graham wel en niet wilde.

Onderweg naar de hotelkamer van de man doet Graham nadrukkelijk of hij zijn 'bureau' belt om te laten weten waar hij naartoe gaat en wanneer hij denkt terug te zijn.

Dat vindt hij altijd leuk, hij voelt zich dan net een kind dat een toneelstukje opvoert. Hij weet niet of de mannen er echt intrappen, maar het lijkt een verstandige voorzorgsmaatregel en het biedt hem enige geruststelling.

Met de handelingen zelf heeft Graham niet zo'n moeite. Hij is nog jong genoeg om bijna elk seksueel contact opwindend te vinden en had tot nu toe steeds de dominante rol, wat de zaak vrij eenvoudig maakt. Meestal haalt hij andere beelden voor de geest om het vol te houden, maar soms voelt Graham zich door bepaalde aspecten van de ontmoetingen voldoende gestimuleerd, al geeft hij dat liever niet toe. Als de man met peper-en-zouthaar bijvoorbeeld op zijn buik gaat liggen en aan Graham vraagt hem wat op z'n billen te tikken, doet Graham dat vol enthousiasme. En als Graham de arm van de man achter zijn rug draait, heeft het iets bevredigends hem te horen jammeren, hoewel Graham daar liever niet over nadenkt. En als Graham het aandurft de man te beledigen, iets wat getrouwde mannen soms fijn vinden, ontgaat het hem niet dat zijn eigen bewegingen krachtiger worden.

Grahams vrienden zijn niet echt bekend met zijn achtergrond, een pakhuis vol herinneringen dat hij zelf liever ook zo veel mogelijk op slot en gebarricadeerd houdt. Opgegroeid op een varkensboerderij buiten Dallas – dat heeft hij ze verteld. Geen contact met zijn ouders of z'n drie broers – dat wil hij ook nog wel kwijt voordat hij duidelijk maakt dat het onderwerp verder niet bespreekbaar is. Alleen Delia heeft een vluchtige blik mogen werpen in dat verduisterde pakhuis, waar de slungelige jonge Graham met de resten van gecastreerde varkens wordt afgeranseld en dagelijks beschuldigd wordt van homoseksualiteit, volgens zijn broers de enige verklaring voor een pianist op een varkensboerderij.

Toen Graham op achtjarige leeftijd voor het eerst en per ongeluk het muzieklokaal binnenliep, had hij een bondgenoot in een van zijn broers. Jimmy was maar anderhalf jaar ouder en zong mee als Graham op school pianospeelde of thuis op het keyboard speelde. Maar toen Jimmy twaalf werd, namen de twee oudere broers hem onder hun vleugels en leerden hem voetballen en basketballen en altijd op het hoofd te richten. Onder het aanvoeren van de gelijkenis tussen de woorden 'pianist' en 'penis' verklaarden de drie Graham tot 'onvervalste flikker' die net zo veel mishandeld mocht worden als een ijverige vader en inschikkelijke moeder ontging. De grootste schade werd veroorzaakt door Jimmy, wiens eerdere kameraadschap moest worden rechtgezet door het publiekelijk toebrengen van talloze blauwe plekken. Elke sessie aan het keyboard werd onderbroken door een klap op het hoofd, een stomp in de nieren, of stekende woorden, die nog meer pijn deden. En Graham vocht zelden terug, want als hij een van de broers uitdaagde, vermenigvuldigden de aanvallers zich. Dus speelde Graham piano, nam de waardering van zijn muziekleraar in zich op, negeerde zijn ouders net zoals zij hem negeerden en wachtte tot hij een leeftijd bereikte waarop hij Texas voorgoed kon verlaten.

Het vertrek kwam eerder dan verwacht toen Jimmy, die Graham om 'genade' wilde laten smeken, te veel druk uitoefende op de duim die hij omhoog. Graham hoorde de knak voordat hij hem voelde. Met zijn zestien jaar was dit niet z'n eerste bezoek aan het ziekenhuis, maar ditmaal voelde het anders. Hij had tien functionerende vingers nodig om te kunnen leven. Graham weigerde met zijn broers te praten toen die hem in het ziekenhuis opzochten en zijn ouders keek hij niet eens aan. En toen het gips er zes weken later af werd gehaald, ging Graham rechtstreeks van de dokter naar het busstation, zonder tas en zonder een moment van aarzeling.

Met zevenendertig dollar red je het niet van Dallas naar Boston, waar volgens Grahams muziekleraar conservatoria waren die er een moord voor zouden doen iemand met Grahams talent les te mogen geven. Met zevenendertig dollar red je het van Dallas naar New Orleans. Iets wat Graham pas onlangs aan Delia heeft verteld. Een paar maanden geleden. Op zijn zestiende wist Graham hoe je piano moest spelen en hoe je varkens moest fokken en van hun ingewanden moest ontdoen. Noch van het een noch van het ander had hij veel baat die eerste twee nachten die hij rondzwierf over Bourbon Street, omdat daar nog volk was en hij nergens anders heen kon.

De derde nacht probeerde hij nog steeds te bedenken wat hij moest doen toen een korte man met grijzend bruin haar op hem af kwam lopen en zich voorstelde. De man was achter in de vijftig, jurist, welgesteld kennelijk. Hij zei dat Graham zo te zien wel iets te eten kon gebruiken, dus gingen ze naar een café, waar de man voor Graham een broodje en iets te drinken kocht. Ze begonnen te praten – over muziek, Boston, de varkensboerderij – en het voelde alsof Graham zijn hele leven geen enkele andere sterveling had gesproken. Een paar uur later, toen de man Graham driehonderd dollar bood om het weekend met hem door te brengen, kon Graham wel janken. 'Ik ben geen homo,' zei hij.

'Dat dacht ik ook niet,' zei de man. 'Dat is 't 'm nou juist. Ik dacht, jij hebt een vliegticket naar Boston en een dak boven je hoofd nodig, en ik heb het nog nooit met een cowboy gedaan. Wat maakt het uit?'

Wat máákt het ook uit, dacht Graham, terwijl hij met de man meeliep naar zijn hotelkamer. Gewoon nog een weekend om te vergeten, een van de vele onaangename. Wat maakt het uit, zei Graham tegen zichzelf, elke keer dat de man hem liet klaarkomen. En als het louterend was om de touwtjes in handen te hebben, om voor de verandering eens iemand anders te horen smeken, om iemand op de grond te drukken, nou, wat maakte het uit? Graham nam zich voor nooit meer over het weekend na te denken.

In Boston dacht Graham tijdens de taxirit van de luchthaven naar het conservatorium alleen aan de toekomst. En toen de directeur hem eindelijk wilde zien, speelde Graham piano in plaats van vragen te beantwoorden. De directeur regelde dat hij bij andere studenten kon logeren, het inschrijfbureau hielp hem aan het benodigde diploma en de studentendecaan zei dat Graham meer herinneringen had weten te verdringen dan de meeste mensen in een heel leven voor elkaar krijgen. Dat was ook precies wat hij zich had voorgenomen. Hij wilde niet iemand worden die z'n hele leven verbitterd is, gekweld door een verleden dat het best kan worden afgedaan als een valse start. Dus uit principe wijdt Graham bijna net zo weinig gedachten aan zijn leven vóór Boston als dat hij erover praat. Maar de ontdekking dat hij binnen een ontmoeting van veertig minuten een heel weekloon kan verdienen en tegelijkertijd wat van de druk van dat gebarricadeerde pakhuis weg kan nemen zonder naar binnen te hoeven kijken, maakt dat Graham er net zomin op zit te wachten om zijn huidige baantje op te geven als het te begrijpen.

Terwijl hij weggaat uit de hotelkamer van de man met het peper-en-zouthaar verbiedt Graham zichzelf er ook maar een minuut over na te denken. Hij denkt niet aan Jimmy of Delia of Daniel of de audities of de recensies. Hij staat zichzelf alleen toe te denken aan de sonate die hij componeert. Wat maakt het uit, zegt hij tegen zichzelf. Snel verdiend. Dit doe ik om 's morgens te kunnen werken.

Dit maakt niks uit.

Gewoon niet aan denken.

Daniel

Gisteravond heeft Delia je eindelijk gebeld. Na twaalf ellendige dagen. Twaalf. Je bent vijf weken achterelkaar met ze opgetrokken, maar afgelopen vrijdag en zaterdag heb je de hele avond alleen in je appartement gezeten, aangekleed en wel, klaar om op pad te gaan, zodra de telefoon zou rinkelen of het gekras zou beginnen. Maar niets. Het was een lang weekend. Maar je bent niet naar Lilly's gegaan – hoewel je in dubio was, hevig in dubio. Je wilde echter niet riskeren jezelf weer voor schut te zetten en je vond eigenlijk dat iemand je zou moeten bellen na dat hele voorval met Graham. Iemand zou de boel weer moeten gladstrijken.

Maar het hele weekend heeft er niemand gebeld en toen het eenmaal maandag was, wist je zeker dat ze het met je hadden gehad – Delia en de auteur. Waarover dit boek ook mag gaan, jouw rol was klaar, je begon een lastpost te worden. Misschien verloor de auteur wel voor iedereen z'n belangstelling. Toen Delia gisteravond belde om je uit te nodigen vandaag te gaan lunchen, was je duizelig van opluchting – maar pas toen je een paar minuten geleden het restaurant binnenliep en door het krassende geluid begroet werd, had je het gevoel dat alles goed zou komen.

Je bent in een broodjeszaak in de buurt van Boston University, niet ver van haar kantoor. Toen je nog op school zat, was dit een snackbar; nu zijn de muren wit met perzik en legt de menukaart de nadruk op alfalfa. Delia is maar een paar minuten later dan jij. Ze zwaait vriendelijk, gratuit naar je en baant zich een weg door de nauwe ruimte. 'Fijn dat je gekomen bent,' zegt ze, waarbij ze je vluchtig omhelst voordat ze tegenover je gaat zitten. Ze ruikt naar iets bloemachtigs en vertrouwds. Je bent niet meer alleen met haar geweest sinds de avond dat jullie elkaar voor het eerst ontmoetten.

Jullie bestuderen de menukaart en elkaar en wisselen beleefdheden uit over de metro en het weer. Het is interessant haar in haar werkkleding te zien. Zwart, wit en grijs voeren nog steeds de boventoon, maar ze ziet er meer gladgestreken uit. Haar lippenstift is een vleugje roder, haar kapsel een tikje tammer, haar schoenen iets formeler. En ze draagt een getailleerde blazer, die haar figuur mooi uit laat komen.

Pas als jullie allebei hebben besteld, slaat Delia op tafel haar armen over elkaar en kijkt je aan.

'Luister,' zegt ze, 'ik wil dat je weet dat het me spijt hoe Graham reageerde. Het was echt heel aardig van je. Er zijn maar weinig mensen die zomaar iets aardigs doen.'

'Da's goed hoor, geen punt.'

'Ik weet dat Graham een grote mond heeft, maar hij heeft een klein hartje. Ik denk dat zijn trots gekrenkt was, maar die lovende recensies die jij hebt geschreven, verdient hij wel. Hij heeft heel veel talent. Heeft zichzelf bijna alles geleerd tot hij naar het conservatorium ging.' Je knikt met gepaste tussenpozen en als de serveerster de twee cappuccino's brengt, zijn jullie allebei even stil en roeren er een zoetje door. 'Maar goed,' gaat Delia een minuut later verder, 'ik wilde je even bedanken voor wat je hebt gedaan – ook al leidt het misschien nergens toe.'

'Graag gedaan,' zeg je, en je neemt een slok. En als je de kop weer neerzet, moet Delia lachen.

'Wat?' vraag je.

'Je hebt schuim op je neus,' zegt ze, en ze steekt haar hand uit om het weg te vegen. Even staren jullie allebei naar het schuim op haar vinger en terwijl je vanbinnen kreunt, voel je dat ze op het punt staat hem af te likken. Maar dan is het moment voorbij en veegt ze haar hand af aan een servetje. 'Graham heeft een baan gevonden,' zegt ze afgemeten.

'Werkelijk? Wat geweldig.'

'Nou, een geweldige baan is het niet, maar als het goed is, verdient hij er wel wat mee. Het is bij een jongen die op huisdieren past. Die komt om in het werk, dus Graham helpt hem zo nu en dan met planten water geven en honden voeren, tot die jongen z'n zaakjes weer op orde heeft.'

'Mooi toch,' zeg jij. 'Dat is tenminste iets.'

'Ja.'

'Is hij boos op me omdat...'

'Nee,' zegt ze, zonder op te kijken.

'Nee, ik bedoel om daarvóór, toen we...'

'Dat begrijp ik. Nee,' zegt ze nogmaals, en nu kijkt ze je wel aan. 'Dat was slecht van me. Ik heb dat nooit eerder gedaan. Het was een vergissing,' zegt ze. 'Graham en ik, we hebben onze onenigheden, maar het gaat goed. Zo gaat dat met stellen. Ze maken ruzie, hebben meningsverschillen over kleine dingen en over grote dingen, ze reageren zich af. Snap je?'

Delia legt haar hand op die van jou en zonder het te willen raak je opgewonden. Misschien merkt de auteur het niet. Het is vernederend, het heeft geen zin de rest van het boek te verlangen naar het meisje dat je toch niet krijgt. Het enige wat het je oplevert, is een kneuzig imago. Tenzij... misschien was jullie avond samen meer dan alleen Delia die zich moest afreageren. Ze heeft het nooit eerder gedaan. Misschien zag ze iets in je wat ze niet wil toegeven. En een driehoeksverhouding, de spanning die dat oproept, zorgt dat een roman lekker weg leest. Corrone besteedt er apart aandacht aan. Volgens hem is de verfilming van zijn genocideroman voor de helft te danken aan de verhouding tussen de diplomatendochter, de onderwijzer en de drugskoerier. Aan het slot moet het meisje natuurlijk altijd weg bij de jongen die duidelijk niet geschikt voor haar is om dan te eindigen met...

Sta jezelf niet toe het woord 'droomprins' te denken. Niet op papier.

'Daniel?'

'Ja?'

'Gaat het wel?'

En precies op dat moment komt het eten en als je de auteur zou kunnen zoenen, deed je dat, want salades vormen een uitstekende onderbreking. Die moet je aanmaken en snijden en husselen, en dan zeggen: 'Goh, ziet dat er niet prachtig uit? Goh, die van jou ziet er prachtig uit. Goh, heerlijk zeg,' en dan ben je zo van onderwerp veranderd.

In dit geval pakt Delia het gesprek weer op: 'En, hoe gaat het nu met je boek?'

'Ehm, z'n gangetje,' zeg je. 'Ik heb een paar hoofdstukken geschreven.'

'Wat is er tot nu toe gebeurd?'

'O, jongen ontmoet meisje en zo. Niet de allerorigineelste verhaallijn, maar er gebeurt wel van alles.'

'Ik zou het dolgraag een keer lezen,' zegt ze, terwijl ze een crouton van haar salade plukt.

'Niet voordat het boek af is.'

'Daar kan ik inkomen.'

'Het kan ook nog wel even duren,' voeg je eraan toe. Sommige schrijvers doen jaren over het afronden van een roman.

'Ik ben een heel geduldig meisje.'

De rest van de lunch verloopt relaxter. Ze zegt dat ze je de afgelopen week hebben gemist en nodigt je uit voor de Fame Game die ze voor zaterdag hebben gepland. En het lucht je op om te voelen dat je er weer 'in' zit, ook al is je rol nog steeds niet helemaal duidelijk.

Terwijl jullie het restaurant uitlopen, verontschuldigt Delia zich nogmaals voor Grahams reactie. 'Hij heeft... een moeilijke periode achter de rug,' zegt ze. 'Je hebt er geen idee van hoe perfect de timing eigenlijk zou zijn, als hij dit nou maar gewoon benutte. Dit is precies wat hij nodig heeft om de draad weer op te pakken.'

Die woorden stellen je ook gerust. Je instinct heeft je in elk geval niet in de steek gelaten. Je probeert dit hele boek-gedoe nog steeds te doorgronden, maar het is goed om te weten dat wat je voor Graham hebt gedaan waarschijnlijk niet het stomste idee is geweest dat je ooit hebt gehad.

Monty

Wanneer Monty bij Lilly's aankomt, zit Jon midden in een lang verhaal dat hij Graham en Delia vertelt over iets wat gisteravond is gebeurd in de bar waar hij werkt. Daarom gaat Monty zitten en probeert geduldig te zijn en te luisteren, maar het lijkt allemaal zo onbenullig en onbelangrijk. Het wordt grappig, althans het schijnt grappig te worden, wanneer Jon vertelt hoe hij met geweld een man uit de bar moet verwijderen, en als ze allemaal lachen, glimlacht Delia over tafel naar Monty, alsof ze hem uitnodigt mee te doen. Dus lacht hij, probeert hij niet te serieus te doen. Ze weet goed hoe ze zijn niet-zo-serieuze kant naar boven moet halen. Dat is altijd al zo geweest.

Hij kan niet wachten om zijn nieuws te vertellen, maar nu heeft Graham het over z'n hondenuitlaatavontuur van vanochtend. Hij praat alsof hij een oorlogsheld is, alsof wat hij doet op de een of andere manier iets nobels is. God verhoede dat iemand iets zegt over de audities die hij heeft laten lopen. Monty probeerde er laatst tegen Delia iets over te zeggen, maar die veranderde direct van onderwerp, wilde niet eens horen wat hij te zeggen had. Ze luistert nu naar Grahams verhaal en lacht op de juiste momenten, en het zou zelfs kunnen zijn dat ze nog steeds in hem gelooft. Het zou zo kunnen zijn. Maar wat ze moet begrijpen, is dat sommige mensen echt niets met hun leven doen. Zelfs mensen met talent.

Maar als ze dat begreep, was ze er natuurlijk niet direct mee gestopt op het moment dat het conservatorium de lat wat hoger probeerde te leggen. Haar moeder had dat nooit laten gebeuren. Monty had nog geprobeerd Delia om te praten, maar helaas...

Hij zit te popelen om z'n nieuwtje te vertellen. Het was allemaal heel plotseling. Maar inmiddels is Jon bezig met de choreografie van hun volgende Fame Game, altijd een ingewikkeld proces. Monty gaat akkoord met de rol van regisseur. Delia wordt de filmster, zoals gewoonlijk, en Jon en Graham haar 'mensen'. En Daniel gaat, schijnbaar, voor scenarioschrijver spelen. Monty dacht dat Daniel door Graham was afgeschrikt, maar blijkbaar is hij er morgenavond weer bij. Waarom vindt men Daniel Fischer van Marketing zo fascinerend? Is niet iedereen van Marketing bezig met een niet-uitgekristalliseerde roman? Niet dat Monty iets tegen de kerel heeft, maar hij houdt bij voorkeur werk en privé gescheiden. Het heeft iets ongemakkelijks hem in de bedrijfskantine tegen te komen of bij de vergaderingen van het Bank Rome-team die ze af en toe hebben – maar binnenkort is dat probleem voorbij.

'Oké,' zegt Monty, die het niet langer houdt, 'ik heb een mededeling.'

Hij is ze in de rede gevallen, maar met resultaat, want zelfs Jon houdt zijn mond en draait zich naar hem toe.

Monty haalt diep adem en dan zegt hij het. 'Ik ga trouwen.'

'Wat?!'

'Natalie?' zegt Delia.

Maar dit wilde hij niet zeggen. De woorden verrassen Monty zelf meer dan wie dan ook. 'Nee, ik weet het niet,' zegt hij. 'Ik bedoel, ik ga misschíén trouwen.' Waarom zegt hij dat? 'Vandaag kreeg ik zomaar uit het niets een grote promotie aangeboden. Ik had niet eens gesolliciteerd. Er is zelfs een personeelsstop op het moment,' vertelt hij ze, 'maar ik kreeg een telefoontje van mijn baas die zei dat ze een nieuwe verkoopdirecteur nodig hebben in New York...'

'Ga je naar New York verhuizen?!' vraagt Delia.

'... En toen dacht ik...' Monty's hart bonst. Hij voelt zijn bloed zowat door z'n borst en arm naar zijn vingers pompen. 'Ik weet 't niet,' zegt hij. 'Ik heb haar niet gevraagd, maar ik dacht: als ik toch daarnaartoe verhuis...'

'Nou nou, wat romantisch,' zegt Graham.

'Ik denk inderdaad dat je het niet zo moet brengen,' beaamt Jon.

Graham gaat bij de bar een fles champagne halen – mousserende wijn waarschijnlijk, het blijft natuurlijk Lilly's. Twee tafeltjes verderop houdt een stelletje elkaars hand vast alsof ze zitten te... wat, bidden? Is het geen heiligschennis om dank te zeggen voor een barhap, vraagt Monty zich af. Het gesprek om hem heen loopt stroef. Maar tegelijkertijd voelt het zo veel echter, nu hij het heeft gezegd. Natuurlijk gaat hij Natalie vragen. Het haar vertellen en haar dan vragen. 'Het ligt voor de hand, toch?' zegt hij hardop. 'Het is eerder dan ik had gedacht, maar die baan – dat is ook eerder dan ik had verwacht.'

'Het ligt zeker voor de hand,' zegt Graham.

'Huisje-boompje-beestje,' mompelt Delia.

Monty steunt. 'Eerder een goed uitgerust appartement in de Upper East Side.'

'Ik kan niet geloven dat je bij me weggaat,' zegt ze.

'Niet meteen,' zegt hij tegen haar, terwijl hij in haar samengeknepen ogen kijkt. 'Het begint pas over een paar maanden.'

Hij kan zich moeilijk voorstellen ergens zonder Delia te zijn, en haar ogen zeggen hetzelfde. Maar Jon onderbreekt hun stille gedachtewisseling. 'Wat is er precies gebeurd?' vraagt hij. 'Je baas heeft je promotie gegeven, zonder gesprek of sollicitatie?'

'Ja.'

'Tijdens een personeelsstop?'

'Het is krankzinnig,' zegt Monty.

'Inderdaad.'

De barman komt aanzetten met de champagne, en Graham schenkt vier glazen in en lacht in zichzelf. 'Dus jij moet nodig met Natalie praten.'

'Klopt,' zegt Monty. En dat klopt inderdaad. Mijn god, denkt hij, wat doet hij hier nog? 'Ik moet ervandoor, het spijt me,' zegt hij. En terwijl hij het café uitloopt, ziet hij het al helemaal voor zich – de bruiloft in het huis van zijn grootmoeder, de verhuiswagen, het appartement in Manhattan.

Grappig, denkt Monty. Hij ging er altijd van uit dat hij als laatste van de groep naar New York zou verhuizen.

Jon

De Fame Game verliep zo rampzalig dat Jon dolblij was toen de klok tien uur sloeg en hij naar zijn werk kon vluchten. Het was even schrikken toen Daniel vroeg of hij mee mocht, maar eigenlijk was hij de enige aangename persoon van de hele avond, dus had Jon toegestemd.

Jon verzamelt de glazen en servetjes waarmee The Blue Lagoon bezaaid ligt omdat die nutteloze nicht wiens werktijd er net op zit niet kan opruimen, terwijl Daniel met een Lagoon Martini op een van de chromen krukken langs de bar zit. Jon had hem, als vanzelfsprekend, de rol van scenarioschrijver toebedeeld en de arme jongen draagt nog steeds de rood-met-zwarte visgraatblazer en witte jeans die Jon voor hem had uitgezocht. Misschien is dat zwarte zijden shirt zelfs wel van een oude pyjama. Dat kan hij zich niet herinneren. De baret heeft hij gelukkig afgedaan. Jon was, zoals gebruikelijk, Delia's dierbare-vriend-en-gevolg en had de avond doorgebracht in een riskante combinatie van Versace en nep-Versace. Zo veel kleuren en patronen waren nog niet eerder bij elkaar gebracht op een menselijk lichaam. Delia had de uitdossing 'Medusa' genoemd, maar voordat Jon met z'n dienst was begonnen, was die heks in een plunjezak gestopt en vervangen door een jeans en een wit T-shirt.

Het is doodzonde dat ze die nieuwe fonduetent hebben

verspild aan een avond waarop niemand er iets van ging maken. Eerst was Delia in Jons appartement komen aanzetten in dat bloedrode tafzijden geval waarin ze eruitzag als een Spaanse hoer anno 1986. Niet echt filmsterachtig. Nou had Jon dat nog wel getrokken, ware het niet dat zij en Graham – haar zogenaamde Hollywood *agent* – de hele avond nauwelijks een woord met elkaar wilden wisselen. Toen was Monty een paar minuten vóór Daniel komen opdagen met de mededeling dat die schat van een Natalie in de bibliotheek Daniels naam had opgezocht en nergens zijn verhalen kon vinden. Had hij niet een iets tactvoller moment kunnen uitkiezen om dat kleinigheidje met ze te delen? Alleen al bij het horen van de naam Natalie raakte Delia in alle staten, wat het ontkrullen van haar haren er niet gemakkelijker op maakte. Jon had zijn vinger gebrand en haar oor zowat geschroeid – en ze had een punt: kunstenaars verzinnen voortdurend allerlei prestaties en Natalie kan nogal fel uit de hoek komen. Maar voordat Jon had kunnen beslissen of hij het voor Daniel zou opnemen of de kant van Graham en Monty zou kiezen, kwam de jongen al binnenlopen met een fles wodka en een sullige glimlach, en een half uur lang had niemand hem durven aankijken.

De entree in het restaurant ging geweldig. Met veel overbodige zonnebrillen stoven ze de deuren door en Daniel lachte zich suf toen Jon de o zo belangrijke eerste zin tegen de ober had gezegd. 'Luister,' zei Jon, 'ik wil niet dat iemand er een grote toestand van maakt, maar inderdaad, het ís Mimi Montgomery... de actrice. En ze wil gewoon normaal kunnen eten, oké? Dus geen gedoe met hulpkelnertjes die een handtekening willen, *capisce?*' De ober leek voldoende geïmponeerd, en binnen een minuut of wat stond de bediening te fluisteren en te staren. Het had een schitterende avond moeten zijn.

Maar in plaats daarvan was het tenenkrommend. Jon moest telkens het gesprek op gang brengen als er opeens een ober opdook – wat constant gebeurde. Dat heb je met fonduen. Daar ging het nou juist om. Ze moeten branders bijstellen en extra servetten halen en extra dingetjes brengen om te dopen en let-op-dat-het-niet-verbrandt zeggen. Maar Monty leek niet in staat met een fictieve cast voor een fictieve film te komen, en Delia, die meestal geen duwtje nodig heeft om een actrice te noemen die er dik uitzag in een badpak, smeerde alleen maar een dikke laag gruyère op alles en gaf eenlettergrepige antwoorden. Jon moest alle namen laten vallen, alle suggestieve vragen stellen als iemand hun glazen kwam bijvullen. Grahams grootste bijdrage was dat hij Delia feliciteerde met het in de wacht slepen van een rol in een televisiefilm. Nogal een botte opmerking, maar het had nog wel tot enig amusement kunnen leiden als iemand er de humor van had ingezien. Daniel was de enige die het de hele avond probeerde, maar was begonnen met een lange uiteenzetting over hoe hij de vrouw van Victor Ramone had ontmoet bij de Oscaruitreiking, terwijl iedereen weet dat Victor niet getrouwd is. Het zoveelste moment dat Jon de schade moest zien te beperken.

'Sorry dat vanavond niet zo leuk was als anders,' zegt Jon als hij weer achter de bar gaat staan.

'Maakt niet uit,' antwoordt Daniel, terwijl hij het glas martini tussen zijn vingers laat draaien. 'Waarom hebben Delia en Graham ruzie?'

'Ach, die hebben het gewoon even moeilijk,' zegt Jon met een zucht. 'Dat komt wel goed.'

Een seconde later vraagt Daniel: 'Heeft Graham een verhouding gehad?'

Jon laat de spoelbak achter de bar vollopen. 'Nee,' zegt hij, terwijl hij met zijn rug naar Daniel blijft staan.

'Handelt hij in drugs of zo?'

'Nee, nee. Absoluut niet.'

'Wat is er dan?'

Jon heeft hier geen zin in. De avond was vermoeiend. Hij vist twee glazen uit de spoelbak en zet ze op het afdruiprek. 'Ze proberen wat dingen af te sluiten,' zegt hij, maar Daniel lijkt hier geen genoegen mee te nemen. Dus voegt Jon eraan toe: 'Een van die dingen weet je wel, toch?'

Het duurt even voor het tot hem doordringt, maar dan lopen Daniels besproete wangen rood aan. Zijn oren worden zelfs purper. Waanzinnig.

'Maar,' gaat Jon verder, 'zoals ik al zei, het komt wel goed. Zo gaat dat altijd bij hen. Ze hebben het goed samen, dat is echt zo. Je had ze op het conservatorium moeten zien en toen ze optraden. Het was alsof ze elkaars gedachten konden lezen.'

'Waarom wil Graham die audities dan niet doen, denk je?' vraagt Daniel.

'Misschien is hij er niet klaar voor,' antwoordt Jon, terwijl hij weer naar de spoelbak loopt. 'Ik denk dat hij er nerveus van wordt om voor een zaal te staan. Echt een concert te geven. Dat is iets anders dan Delia begeleiden.'

'Ja,' zegt Daniel stilletjes, en dan: 'Mis jij het acteren?'

Jon kijkt naar Daniel in de spiegel achter de bar. 'Nee,' zegt hij. 'Het is geen gemakkelijk leven.' Hij spoelt de martinishaker om, zucht even en draait zich weer om. 'Mij hoef je niet te helpen, Daniel. Ik ben de gelukkigste van dit groepje.'

Daniel zegt niets, maar zijn wangen lopen weer rood aan.

'Ik hoor dat Monty promotie gaat maken,' voegt Jon daar nog aan toe.

'Is dat zo?'

'Wie had dat nou gedacht?'

Langzaam, bedachtzaam, knikt Daniel.

'Ik hou van mijn leven,' gaat Jon verder. 'Ik heb een leuke baan, maak maar weinig uren, ontmoet grappige mensen. Ik doe waar ik zin in heb.'

En de man die aan het andere eind van de bar komt aanlopen, lijkt Jons woorden te benadrukken: geschoren hoofd, poloshirt en jeans, in de dertig, misschien begin veertig. Jon loopt naar hem toe om hem te begroeten. Donkere stem, mooie trekken, ongecompliceerde rumcoladrinker.

'Stond je met hem te flirten?' vraagt Daniel als Jon terugkomt.

'Ik denk dat hij mijn project wordt vanavond,' zegt Jon, met een knipoog over de bar. De man lacht. Leuke kuiltjes in z'n wangen.

'Je bent niet echt subtiel,' zegt Daniel.

'Subtiel is niet altijd de beste manier,' antwoordt Jon, terwijl hij naast Daniel een lap over de bar haalt. 'Als ik iemand leuk vind,' gaat hij verder, 'speel ik geen spelletjes. Dan laat ik dat weten.' En met een opzettelijk gebrek aan subtiliteit neemt Jon de bar helemaal tot aan het andere eind af.

Jon kan de slaap niet vatten, dus trekt hij voorzichtig zijn arm weg onder het lichaam naast hem en stapt uit bed. De man uit het café schuift met zijn benen en wrijft z'n neus langs het kussen maar wordt niet wakker. Hij is best sexy, denkt Jon, terwijl hij een boxershort aantrekt en de badkamer inloopt. Het was leuk geweest en in de opwinding had Jon zich al een reeks even opwindende vervolgen voorgesteld. Maar in de helderheid van geest na de daad weet hij dat het niets kan worden tussen hem en Mark. Sterke jukbeenderen, een slanke taille en een krachtige tong leggen het af tegen intelligentie. Fysieke aantrekkingskracht is niet de enige vereiste.

Sexy en weinig diepgang, denkt Jon, terwijl hij een blik op zijn spiegelbeeld werpt. Dat zullen mensen vast ook altijd van hem denken. Niet dat Jon weinig diepgang heeft, maar hij kan zich voorstellen dat hij zo overkomt. Even kan Jon het niet laten zijn eigen weerspiegeling te bewonderen: de brede borstkas, het blonde plukje haar op z'n borstbeen, de stevige torso en gespierde schouders. Een hoop ijdele dertigers waren als jongen van tien of twintig te dun of te dik, Jon niet. Hij is van nature sportief en dat was altijd al duidelijk te zien. Hij hoefde geen vreselijke acne te overwinnen, of een voller gezicht te krijgen. Dezelfde sterke kaaklijn die hem nu jonger maakt, maakte dat hij er op *college* volwassener uitzag.

Jon werpt een snelle blik op de slapende gestalte in zijn bed. Misschien dat Mark... Nee, hij dacht dat Hefeweizen een dictator was. Graham zal zich bescheuren. Stilletjes glipt Jon de slaapkamer uit en loopt naar de keuken om de ontbijtmogelijkheden te inventariseren. Hij kan een omelet maken of pannenkoeken – wafels is zo'n gedoe. Hij heeft sap, koffie, melk. De kou van de ijskast bezorgt hem kippenvel op zijn armen en Jon slaat een katoenen deken om terwijl hij in de zitkamer op de bruine leren stoel gaat zitten.

Gewoonlijk kost het hem geen moeite met iemand anders te slapen, maar het was een zware avond. Hij en Daniel hadden het uiteindelijk prima samen, maar Jon is blij dat hij heeft aangegeven dat hij niet op hulp zit te wachten. Wat Daniel voor Graham heeft gedaan, was aardig, maar wel een beetje vreemd, en dan die raadselachtige promotie van Monty. Niet dat Monty enige argwaan schijnt te koesteren, maar kom op zeg, kunnen mensen dan niet één en één optellen? Ach, als Monty promotie maakt en daar gelukkig van wordt, prima, maar Jon heeft Daniel wel gezegd dat hij zich niet van alles in z'n hoofd moet halen over het opwekken van een begraven acteercarrière. Wat een nachtmerrie zou het zijn als hij weer auditie moest doen.

Het ophalen van ontluisterende ervaringen is niet plezierig. Jon had zonder veel moeite een handjevol kleinere rollen, en zelfs een *agent*, geregeld. Hij vermaakte zich. Hij ontmoette leuke mensen en dacht dat hij een carrière aan het opbouwen was. In het begin, toen zijn *agent* hem een paar keer voor cataloguswerk op pad had gestuurd, was hij het ermee eens dat het nuttig was z'n gezicht te laten zien. Daarbij was het geld een stimulans. De eerste keer dat hij een modeshow liep, zat hij er niet mee, hoewel hij het alleen als gunst deed toen zijn *agent* zei dat haar vaste model het had laten afweten. Maar toen hij op een dag besefte dat hij meer dan een jaar niet op een toneel had gestaan, dat hij regelmatig te zien was in een groeiende stapel kledingcatalogi, dat zijn verschijning in *GQ* nog het dichtst in de buurt kwam van een grote doorbraak, zag Jon in hoe de vlag erbij hing. Het heeft ook een voordeel om je eigen beperkingen te kennen.

Nadat hij voor zijn acteerklas een monoloog van Arthur Miller had opgevoerd, die hem tot tranen toe had geroerd maar slechts het plichtsgetrouwe applaus van zijn klasgenoten had geoogst, had Jon zijn docente apart genomen en haar gevraagd eerlijk te zijn. 'Als ik eigenlijk toondoof ben, als ik denk dat ik iets overbreng terwijl ik dat niet doe, doe je me een groot plezier door me dat te vertellen. Zal ik ooit iets anders spelen dan Mooie Man Twee?' En de docente zei geen nee, maar dat hoefde ook niet. Ze waren samen koffie gaan drinken en hadden erover gepraat. Het was prima om modellenwerk te doen ter ondersteuning van een beginnende acteercarrière, maar als het daarbij zou blijven, als hij nooit een rol van enige betekenis zou hebben in een toneelstuk, las hij ze liever en ging hij liever kijken en deed dan iets anders met zijn tijd hier op aarde.

Ja, mijmert Jon, met zijn knieën opgetrokken onder de deken, het was een goede beslissing. Zo veel mensen verspillen hun leven met het najagen van dromen die om welke reden dan ook nooit zullen uitkomen. En wat als hij wél jarenlang acteerlessen volgde en een paar redelijke rollen in plaatselijke producties in de wacht sleepte? Meer zou het uiteindelijk toch nooit worden. Het zou een hoop geploeter, een hoop afwijzingen betekenen. Vrienden die zeiden dat ze zijn foto in de nieuwste J.Crew-catalogus hadden gezien. En wat zou hij op zijn sterfbed ter verdediging kunnen aanvoeren? Ik heb een verdienstelijke maar onopvallende Biff Loman gespeeld en voor de verkoop van een hoop kakibroeken en coltruien gezorgd.

Laat ambities maar over aan Daniel en Monty. En als

Daniel Graham en Delia weet te inspireren weer aan de slag te gaan, prima. Zij hebben tenminste talent dat de moeite waard is om te ontwikkelen. En eerlijk waar, denkt Jon, zoals hij al vaker heeft gedacht, ze zouden een keuze moeten maken en zich daaraan moeten houden. Zich ofwel met plezier op de muziek storten ofwel daar met plezier van afzien. Maar waarom zou je je ellendig voelen over artistiek falen als je geen artistiek succes nastreeft?

Jon sloft terug naar de slaapkamer. Mark ziet er nog net zo beminnelijk uit en als Jon het bed in schuift, windt de warmte van Marks huid tegen de zijne hem op. Hij kust Marks schouder, dan zijn nek, dan de stoppeltjes op zijn hoofd. En als Mark halfwakker glimlacht en de kus op zijn lippen beantwoordt, beginnen ze weer van voren af aan.

Daniel

Monty's appartement is niet bepaald hoe je het had verwacht. Op de een of andere manier had je je houten lambriseringen en een hoop antieke meubels voorgesteld, maar de zwarte leren bank is hoekig zonder armleuningen en de glazen salontafel uiterst modern door het eenvoudige ontwerp en het geborstelde zilverkleurige frame. Alles in de kamer, van de boekenplanken tot en met de lampen, is zwart of zilverkleurig behalve twee muren van kale baksteen en een gigantisch schilderij op een van de twee zwarte wanden. Een origineel, geen reproductie. Iets abstracts met dikke blauwe verfvegen die minstens anderhalve centimeter uit het doek steken. Aan de overkant in de hoek staat een salonvleugel, waar Graham omheen ijsbeert.

'Ga je vanavond iets nieuws voor ons spelen?' vraagt Monty terwijl hij Graham een martini aanreikt.

Graham doet een stap naar achter, zijn ogen nog steeds op de toetsen gericht en knikt. 'Wereldpremière,' zegt hij, waarop hij jouw blik opvangt en je een knipoog geeft.

'En, Daniel, ik hoop dat je iets hebt meegenomen om voor te lezen,' gaat Monty verder. 'Natalie gaat wat gedichten voorlezen, maar ik heb haar verzekerd dat ze niet onze enige schrijver van de avond zou zijn.'

'Natuurlijk,' zeg je terwijl je een kikker uit je keel wegkucht. 'Uiteraard.'

Delia kijkt je stralend aan. 'Ik kan niet wachten!' zegt ze.

'Ik ook niet,' zegt Monty tegen haar.

Toen Delia je eerder deze week belde om je uit te nodigen voor Monty's verlovings-slash-promotiefeestje, was je in eerste instantie alleen maar opgelucht. Vorige week bij het Fame Game-etentje negeerde ze je min of meer en dat gesprek met Jon had het gevoel dat je je positie in het boek aan het verliezen was nog eens aangewakkerd. Maar haar stem klonk zo oprecht door de telefoon. Ze verontschuldigde zich dat ze er die avond met haar gedachten niet helemaal bij was geweest en ze had je een compliment gegeven voor je voortreffelijke toneelspel als scenarioschrijver. En toen ze je vertelde over Monty's feestje – een 'salonavond' had ze het genoemd – waarop zij zou zingen en Graham piano zou spelen, was ze zo schattig en zenuwachtig geweest toen ze je vroeg of je iets wilde voorlezen dat je had ingestemd zonder erbij na te denken.

'Ze hebben hem zomaar uit het niets gevraagd,' zegt Natalie. 'Tijdens een personeelsstop. Niet te geloven, toch?'

'Heel opmerkelijk,' antwoordt Jon, waarbij hij jou een vlugge blik toewerpt.

Je loopt voorzichtig achteruit, maar als je je omdraait, mors je een paar druppels chianti op je hand en overhemd. Niemand die het ziet of iets zegt, dus glip je de wc binnen om je handen te wassen, de vlek nat te maken, te ontsnappen. Ditmaal was je zo snugger je mond te houden en ook al is Jon achterdochtig, zo te zien heeft hij niets gezegd. Het is ook weer niet alsof jij die baan voor Monty hebt geregeld. Bij de lunch zat je toevallig een keer een paar tafels van zijn baas vandaan toen Monty als een van het handjevol mensen werd genoemd dat in aanmerking kwam voor de promotie. Dus hielp je een roddel de wereld in dat hij naar een ander bedrijf zou overstappen en zorgde je ervoor dat die roddel de secretaresse van zijn baas bereikte. Het ging bijna vanzelf. Met zijn achtentwintig jaar is Monty aan de jonge kant voor een functie op directeursniveau, maar hij droomt van een vervroegd pensioen, dus op deze manier zet hij er duidelijk meer vaart achter. Ten minste het leven van één iemand zal ten goede veranderen in dit boek, en ook al kun je daar niets over zeggen, de lezer weet vast dat jij de boel een handje hebt geholpen.

Je wrijft met een natte handdoek over de mouw van je overhemd – wat ongetwijfeld een vlek gaat achterlaten – en als je de kraan dichtdraait, hoor je een bekend gekras in de lucht. De laatste gast is gearriveerd. Het is nauwelijks een verrassing, gezien wat er komen gaat. Maar je denkt niet aan de voordracht die je moet houden. Een deel van je doet z'n uiterste best daar niet aan te denken.

In eerste instantie had je niet gedacht dat het zo moeilijk zou zijn een verhaal te schrijven voor de salonavond. Je hebt genoeg romans gelezen, in een paar meegedaan. En al die dingen die je moest verzinnen om die audities voor Graham te regelen en Monty te helpen, dat doet niet onder voor wat een schrijver doet. Dus las je nogmaals Corrones adviezen over verhaalstructuur en literaire waarheid en zaadjes planten en al dat gedoe, en ging je aan je computer zitten, maar toen begon de ellende. Het lege beeldscherm was zo... leeg. Je begon met een verhaal over een detective, dat je afkapte en verving door een verhaal over een gokker, dat je afkapte en verving door een verhaal over helemaal niets, dat je afkapte en verving door een halve fles merlot en een smeekbede aan de auteur. Wat ook niet erg lukte. Een trieste man alleen in zijn appartement huilend op z'n knieën. Niet best. Je bent blij dat de auteur dat tafereel niet is komen vastleggen.

Wil de auteur je vanavond zien slagen of falen? Je weet het niet, maar je voelt je al wat misselijk en op je voorhoofd vormen zich zweetpareltjes. Je veegt ze weg met de natte handdoek, haalt diep adem. Wijn en brie op een lege maag – niet verstandig.

Als je uit de wc komt, loopt Natalie uit de keuken voorbij met een nieuwe fles wijn, en ze blijft staan om je bij te schenken. Het licht valt op haar ring en je feliciteert haar nogmaals. 'Die is van zijn overgrootmoeder geweest,' vertelt ze, zoals hij je ook al verteld heeft. Je brengt een langgerekt 'ohhh' of iets soortgelijks uit, probeert geïnteresseerd te klinken, maar ook weer niet zo geïnteresseerd dat ze erover doorgaat.

Aan de andere kant van de kamer zie je Delia en Graham lachen met Monty en Jon, herinneringen ophalen aan oude recitals en optredens. Iedereen lijkt het weer goed met elkaar te kunnen vinden, een hele opluchting, hoewel je het ergens ook niet erg vond om te weten dat Delia en Graham ruzie hadden. Vanavond is ze een en al glimlach en heel opgewekt. Om de haverklap pakt ze Grahams handen en woelt ze door z'n haar. Ze gaf jou een enorme omhelzing toen je binnenkwam. Ze is zelfs vriendelijk tegen Natalie. Eerder heeft ze haar al gefeliciteerd en nu geeft ze haar een compliment over haar jurk.

Dan zegt Monty eindelijk wat afgezaagde woorden van dank en welkom en gaat de show van start. Hij begint, neemt plaats aan de piano en stort zich op een wals. Bijna direct beginnen Jon en Natalie te dansen in het midden van de kamer, die daarvoor lijkt te zijn leeggemaakt. Zijn bewegingen hebben niets onhandigs of ongemakkelijks en je stelt je voor hoe je zijn voorbeeld volgt. Je zou naar Delia lopen, haar verwachtingsvolle hand pakken. Je zou haar de vloer op leiden – die aanzienlijk ruimer is in je gedachten – en je zou niet één keer op haar tenen trappen. Je zou elegant zijn en ze zou je volgen. Je hart zou niet bonken. Nee, je zou kalm zijn. Haar hand zou zachtjes in je schouder knijpen, en...

Haar hand knijpt zachtjes in je schouder. 'Ik verheug me erop je vanavond te horen voorlezen,' zegt ze.

'Goh,' zeg je, wat uiteraard niet de juiste reactie is. 'Nou, ik verheug me erop je te horen zingen.'

'Ga je uit je boek voorlezen?'

'Nee,' zeg je. 'Ik heb een verhaal meegenomen. Ik hoop dat je het leuk vindt.'

'Ik weet zeker dat je het geweldig doet,' zegt ze. Ze draagt een kort zwart jurkje met sensationele plooien aan de voorkant en om haar hals een zwarte choker. Vergeleken met haar lijkt Natalie, met het kant aan haar mouwen en een geel lint in het haar, een schoolmeisje.

'Jij ook,' zeg je. 'Geweldig.'

Als Monty klaar is met zijn tweede wals, gaan jullie allemaal rond de salontafel zitten en draagt Natalie een lang gedicht voor over lente en eenzaamheid en groene bladeren en watervallen. Voor het eerst vanavond stroomt de energie weg uit Delia's gezicht. Ze lijkt afgeleid, verveeld. En ter verdediging van haar besluit je dat dit een slecht gedicht moet zijn. Niet dat je veel poëzie leest, maar voor je gevoel stelt dit weinig voor. Je vraagt je af of Graham straks ook zo omhoog gaat zitten kijken als jij je verhaal voorleest, of Jon doorgaat met het kreukelen van dat servetje in z'n hand. Natalie leest nog een gedicht voor – ditmaal korter – en dan nog een lang stuk over een meisje en haar moeder en tijdschriftmodellen en menstruatie. En tijdens het beleefde applaus dat volgt, glip je de keuken in en vul je je wijnglas tot aan de rand.

Natalie zit in jouw stoel als je terugkomt in de zitkamer, dus ga je op Grahams plek op de bank zitten, naast Delia. Ze lacht vriendelijk naar je, richt dan haar aandacht op de piano, waar Graham zit, zijn jasje in een prop op de vloer onder hem. Hij negeert haar, negeert jullie allemaal. Hij kijkt aandachtig naar de toetsen, ademt diep uit, barst dan los met een stuk dat zo snel gaat dat je er duizelig van wordt als je naar zijn vingers kijkt. Geen servetgekreukel nu, of glazige blikken. Zelfs jij verliest je in de muziek, in de aanblik van Grahams lange armen die het klavier kruisen. Onwillekeurig voel je een tikkeltje ontzag, en als je naar Delia kijkt, zie je – teleurgesteld maar niet verbaasd – dat zij met nog veel meer ontzag vervuld is, haar mond niet in een glimlach of plooi, maar open alsof ze de muziek wil opzuigen. Die expressie wil je. Dat gevoel wil je haar geven als jij daar staat.

En een paar minuten later sta je daar. Voor de open haard, terwijl je de bladzijden van je verhaal schikt en gladstrijkt, je keel schraapt, gekweld de vijf verwachtingsvolle blikken aanschouwt, luistert naar het geluid van het krassende potlood, dat na de muziek die de kamer vulde iets spottends heeft. Even heb je een beeld van de auteur, zijn voeten op het bureau, de woorden krabbelend met een neerbuigende grijns, in afwachting van je falen. Dan onderbreekt Natalie je gedachtegang, vraagt of je een glas water wilt, en je zegt ja, waarop ze het gaat halen terwijl jullie allemaal wachten. Graham staat fanatiek te roken voor een open raam. Monty strijkt langs zijn sikje. Jon smeert kaas op een cracker. Delia balt haar hand en geeft je een stille aanmoediging.

Ze verheugt zich erop je verhaal te horen. Jouw verhaal. Nou, prima. Slecht is het niet. Helemaal niet. Vanochtend heb je het probleem opgelost toen je bladerde naar Corrones hoofdstuk met de titel 'Elk verhaal is al eens geschreven'. Niet het standpunt van het hoofdstuk had je geholpen, maar het idee dat je te binnen schoot. Dus was je op internet gaan kijken, vond een geschikt verhaal, veranderde de opmaak en drukte het af. Obscure schrijver – dat heb je gecheckt – en er zijn geen boeken van hem gepubliceerd, geen imponerende tijdschriftpublicaties. Het was niet eens een goede website. Niet een waarvan jij ooit hebt gehoord. Dit gaat goed komen. Ze zullen allemaal onder de indruk zijn. Het lijkt een goed verhaal.

En even later, met een glas water naast je, sta je voor te lezen. Het verhaal gaat over twee slangenmensen die in het circus werken. Ze worden ouder en een van hen is bang dat hij artritis heeft, dus een beetje triest is het wel. Maar geestig is het ook, wat je beseft als de groep voor het eerst gniffelt. Die toestand met die clowns die zonder werk zitten. Dat was je niet eerder opgevallen. En als je tussen twee bladzijden door even opkijkt, zie je alom bewondering en onmiskenbaar plezier in Delia's ogen. Het verhaal voelt langer aan dan je had gedacht, maar vanavond geniet je er veel meer van dan vanmorgen, en als je aan het eind opkijkt, bespeur je in Delia's ogen eveneens een tikkeltje ontzag. Vijf mensen slechts, maar hun applaus is vol en bevredigend, en je bent nog nooit zo trots geweest op iets wat je zelf hebt gemaakt.

'Was dat een van je gepubliceerde verhalen?' vraagt Natalie in de waas van complimenten.

Je kunt maar beter nee zeggen, besluit je. Dit is een nieuw verhaal.

'Ik vond het prachtig,' voegt ze daar nog aan toe. 'Waar waren je verhalen ook alweer gepubliceerd?'

'O, da's alweer een tijdje geleden,' zeg je. 'In de *Wisconsin Review*.'

'En niet ook nog ergens anders?'

'Ehm... *Lavender Dream*.'

'Juist,' zegt ze, met een knijpje in je hand. 'Nou, goed gedaan.'

En Delia beaamt dat. Zegt dat je verhaal geweldig is, dat ze er weg van is. En als ze je omhelst, houdt ze je een seconde langer vast dan noodzakelijk.

Maar het volgende moment is ze weg, staat ze naast de piano. Graham heeft zijn jasje weer aangetrokken en ze fluisteren iets tegen elkaar voordat hij op het bankje gaat zitten.

Dan knikt ze naar hem, waarop hij van wal steekt met een jazzy intro, en plotseling vult Delia's stem de kamer. Ze zingt 'It Ain't Necessarily So'. Een nummer van Gershwin, je hebt het eerder gehoord, maar niet zoals zij het zingt. Haar stem is zwoel, vol, een tikje hees. Je smelt weg in de bank. Haar beheerstheid is bedwelmend. Geen vleugje spanning, niets van de zelfbewustheid van Natalies voordracht. Ze sluit zich niet af zoals Graham. Ze kijkt jullie stuk voor stuk aan – Jon, Monty, jou, zelfs Natalie. Ze zingt voor ieder van jullie.

Het is een enorme openbaring om iemand voor het eerst in z'n element te zien. Dít is wie ze is. Dat heeft ze zelf gezegd, de avond dat jullie elkaar ontmoetten. Dít is wat ze zou moeten doen. Ze heeft het talent, het uiterlijk, de charme. Ze is alleen op een zijspoor beland, tegen hindernissen aangelopen. Ze heeft nu alleen nog een zetje nodig. En hier begint jouw rol – natuurlijk. Graham, Monty, Jon, haar familie, ze hebben jaren de tijd gehad haar te helpen. Nu is het aan jou. Dit kan echt een boek worden over haar weg naar de top. Het gaat haar leven veranderen dat ze jou heeft leren kennen.

Je hart gaat tekeer en als het lied is afgelopen, springen jij, Jon, Monty en Natalie op onder luid applaus. Zonder erbij na te denken. Je voelt je omhooggestuwd. In een flits zie je Delia zingen voor een enorme zaal met honderden mensen. En er gaat een rilling door je lijf, want het beeld is zo helder dat je bijna zeker weet dat het geen illusie maar een voorbode is.

Delia

De auto vult zich met de bedompte, verstikkende lucht van die walgelijke sjekkies die hij zo nodig moet draaien, alsof hij een of andere rockster is. 'Wil je 'm alsjeblieft uit het raam proberen te houden?' zegt Delia voor de tweede keer tegen hem. Graham verplaatst zijn arm zonder iets te zeggen. De rook vliegt voor het grootste deel door de ruit naar buiten, maar ze moet nog steeds vechten tegen de rookwolken die inmiddels in de kleine Corolla hangen. Ze zet de airconditioning aan.

'Zo gaat de rook alleen maar circuleren,' zegt hij.

'Een deel gaat ook naar buiten.'

'Mooi,' zegt hij.

Het is zaterdagavond en ze zijn op de terugweg van haar vaders huis in Winchester. Ze zijn er vanmiddag rond vijven naartoe gegaan om de planten water te geven en de post te bekijken. Haar vader is voor zaken in China – waarschijnlijk kinderen in sweatshops aan het afbeulen, mijmert Delia – en Graham stond erop met haar mee te gaan, wat nogal irritant is omdat hij er altijd over klaagt en ze ook nog eens de neiging hebben ruzie te maken als ze te lang in de auto zitten. Toch moet ze er iets over zeggen. Ze zijn er nu over begonnen. De rekeningen zijn nog tot daar aan toe, maar...

'Ik dacht dat je voor dat hondenoppasgedoe betaald zou

krijgen,' zegt ze, voordat ze de discussie in gedachten heeft kunnen afdraaien.

'Dat is ook zo. Dat heb ik je verteld.'

'Nou, de huur moet volgende week worden betaald. Dat kan ik niet ook nog opbrengen, dus je zult hem moeten vragen je te betalen.'

'Dat gaat hij doen.'

Delia staart door de ruit naar de rij flatgebouwen langs Mystic Avenue. Ze zijn nu twintig minuten onderweg en hebben niet veel meer gezegd sinds ze de elektriciteitsrekening ter sprake heeft gebracht, wat ze op een nonchalante manier had willen doen. 'Ik maak me gewoon zorgen,' zegt ze uiteindelijk, waarbij haar stem aan het eind overslaat.

'Volgende week heb ik het geld,' zegt hij tegen haar. 'Het komt goed.'

'En wat als dit straks weer voorbij is?' vraagt ze, waarbij ze naar zijn starre profiel kijkt. 'Graham, je moet op zoek naar een echte baan.'

'Dit ís een baan.'

'Als je denkt dat het een vaste baan wordt... fantastisch.'

'Ik heb het onder controle.'

Een minuut of twee zitten ze stil naast elkaar; als hij zijn peuk uit het raam schiet, gaat ze verder. Het móét worden gezegd. 'Ik kan mijn vader niet nog meer geld vragen.'

'Om die "klaploper van een man van je" te onderhouden?'

'Dat zei ik niet.'

'Maar dat bedoelde je wel.'

'Nee,' zegt ze, en ze drukt haar hoofd tegen de gescheurde kunstleren hoofdsteun, 'maar ik heb wel een inkomen.

Als het alleen om mij ging, zou ik hem niet om geld hoeven vragen.'

'Ik begrijp het. Goed, ik zorg voor de huur en ik kan je ook een deel van juni terugbetalen.'

'Dan is het goed,' zegt ze, starend naar de gele strepen voor hen. Nu rijdt hij te hard. Alsof ze haast hebben. Ze zal blij zijn als ze straks uit kan stappen, en misschien nog een bad kan nemen voor ze naar Lilly's gaat. Misschien dat ze Giorgio belt, een massage afspreekt voor morgen of overmorgen. Ze heeft nog een cadeaubon van Kerstmis, en haar nek voelt zo gespannen, haar rug, haar hele lijf. Ze probeert het gevoel op te roepen van zijn handen die haar spieren losmaken.

'Maar wat is eigenlijk het probleem?' vraagt Graham wanneer ze stoppen voor een rood licht. Giorgio verdwijnt. 'Je vader bulkt van het geld. Je bent zijn dochter. Waarom is het dan zo pijnlijk?'

'Ik ben volwassen,' zegt ze, tegen zijn starende blik. 'En jij ook. We zouden in staat moeten zijn onze eigen broek op te houden. Graham, gaat je vriend je soms niet betalen?'

'Ik heb toch gezegd dat hij me gaat betalen. Dat staat hier helemaal los van. Ik begrijp nooit waarom je het zo erg vindt hem zo nu en dan om geld te vragen.'

'Het is groen,' zegt ze tegen hem.

Graham schakelt en richt zich weer op de weg. Minstens een minuut kijkt Delia naar de draaiende velgen van de auto naast hen. Dan vraagt ze: 'Waarom vraag jij jouw ouders niet om geld? Lijkt dat je soms leuk?'

'Je weet dat dat anders is. Jij spreekt de man elke dag. Moet daar dan niets tegenover staan?'

'Ik spreek hem niet elke dag, toevallig. En het is mijn vader, niet mijn bankrekening.'

'Het is een eikel, dat is het. Dat zeg je zelf altijd.'

'Ja, het is ook een eikel. Maar is het ooit bij je opgekomen dat ik me elke keer dat ik geld vraag meer verplicht aan hem voel?'

'Jawel,' zegt Graham, terwijl hij opnieuw een sigaret uit zijn borstzak vist. 'Ik vraag me alleen af of jij je anders zou gedragen zonder dat plichtsgevoel.'

'O, en wat bedoel je daarmee?'

'Niets,' antwoordt hij, waarbij hij een aansteker naar zijn mond brengt. Opnieuw vult de auto zich met rook.

'Graham!' zegt ze.

'Sorry,' mompelt hij en hij draait het raampje open. 'Weet je wat het is, jij doet werk dat hij voor je heeft geregeld, jij verzorgt altijd die suffe varens van hem als hij op pad is – een man die maandenlang van huis is, zou gewoon geen varens moeten hebben. Dat getuigt van weinig inlevingsvermogen.'

'Is dat je professioneleplantenverzorgersmening?'

Graham trekt zijn schouders op en neemt een lange haal van zijn sigaret.

'Dus ik zou die varens dood moeten laten gaan en ontslag moeten nemen. Is dat je advies?'

'Ik weet niet wat je zou moeten doen,' mompelt hij.

'En, wat doe jíj eigenlijk? Waarom wil je die audities niet doen die Daniel heeft geregeld? Ik snap het niet.'

'Nee, je snapt het niet, hè?'

'Nee,' zegt ze, terwijl ze de airconditioning op de hoogste stand zet. 'Hij heeft je zo ongeveer een muziekcarrière in de schoot geworpen. Dat was ontzettend aardig. Als je echt zo'n toegewijd musicus bent...'

'Ontzettend aardig inderdaad. Hij heeft die flauwekul geschreven zonder dat hij me ooit een noot heeft horen spelen. Moet ik soms gevleid zijn?'

'Wat maakt het uit? Waarom zou hij niet mogen veronderstellen dat je goed bent? En waarom zou je die audities niet doen? Het zou je doorbraak kunnen betekenen, je kans om geld te verdienen met muziek in plaats van...'

'Ik ben Daniel helemaal niets verplicht,' zegt Graham. 'Ik zou mijn eigen audities kunnen regelen. Ik zou echte aanbevelingsbrieven kunnen krijgen van mensen met verstand van muziek. Ik kan het later net zo goed zelf doen in plaats van dat ik het nu uit dankbaarheid voor die Daniel van je doe.'

'Het nu doen betekent het doen,' sputtert ze. '"Later" lijkt in jouw geval "nooit" te betekenen.'

'Moet jij nodig zeggen,' zegt hij tegen haar, met een lange haal van zijn sigaret. 'Nee, jij bent echt met een schitterende muziekcarrière bezig. Nog een grote doorbraak gehad in het Methodist Home?'

Delia voelt haar wangen rood worden van woede. 'Lazer op.'

'Kunst is iets merkwaardigs,' zegt hij tegen haar.

'Ik pak tenminste alles aan.'

'Jij pakt aan wat je in je lunchpauze kunt inpassen,' sneert Graham. 'Denk je soms dat ik m'n best niet doe? Het afgelopen half jaar heb ik twee nieuwe stukken geschreven, en het stuk van Rachmaninov heb ik bijna in de vingers. Wat zing jij voor ze? "Over the Fucking Rainbow"?'

'Goh, misschien moet ik dan maar als hoer aan de slag zodat ik wat meer vrije tijd heb. Dat zou inderdaad reuze verheven zijn.'

Graham rijdt hun straat in en haalt zijn schouders op. 'Je zou ook gewoon voor de lol als hoer aan de slag kunnen,' zegt hij. 'Da's toch meer jouw stijl?'

Daniel

Je bent begonnen je appartement enigszins op orde te houden vanwege het waakzame oog van de auteur, maar op Delia's telefoontje was je niet voorbereid. Ze komt zo bij je langs in plaats van naar Lilly's te gaan waar iedereen zit. Ze klonk aangeslagen. Huilde ze? Je hebt geen idee, het gesprek was heel kort. En nu je de zitkamer door haar ogen bekijkt, waarbij je gierende hartslag begeleid wordt door het krassende potlood van de auteur, zou je willen dat je de Monet-reproductie boven de bank door iets anders kon vervangen. Je zou willen dat je modernere meubels had, een wat excentriekere inrichting. Je pakt de tijdschriften en enveloppen die op de keukentafel slingeren. Je ruikt in de slaapkamer aan je lakens in de hoop dat de auteur het niet ziet. Niks mis mee. Verwijdert de schimmel onder het zeepbakje in de badkamer.

Wat kan haar verder nog opvallen? Je legt een roman van Nabokov prominent op het nachtkastje, bedenkt je dan en legt het boek weg op de boekenplank. Je bent niet verder gekomen dan het voorwoord. Ze zou ernaar kunnen vragen. Je laat Corrones handboek op het bureau in de zitkamer liggen, maar legt zijn roman met een licht schuldgevoel weg. Niet bepaald literatuur. Je bladert door je verzameling cd's, zet een stapeltje met jazz- en klassieke muziek vooraan in het rek. Je trekt een wat hippere spijkerbroek en poloshirt aan. Spuit aftershave op je hals, borst, dan weer op je hals. Je kijkt op de klok: half tien. Trekt dan schoon ondergoed aan, doet dertig sit-ups en verkleedt je weer – zelfde broek, strakker shirt. Je doet je haar goed. Is de aftershave te sterk? Je trekt je hardloopschoenen uit en speurt de slaapkamer af naar een verloren bruine schoen, maar dan wordt er aangebeld. Op je witte sokken doe je de deur open.

Delia omhelst je meteen. Er zit een veeg oogschaduw op haar wang, maar verder heeft ze geen make-up op. Eerst zegt ze alleen maar 'Dank je'; dan ploft ze op je bank zonder zelfs maar een blik te werpen op de Monet-reproductie. Je gaat naast haar zitten en ze schuift naar je toe om tegen je borst te leunen. Je voelt haar ademhaling op en neer gaan, en voorzichtig sla je je arm om haar heen en wrijf je over haar rug terwijl ze begint te huilen. Je stelt je voor hoe je vooroverbuigt om haar nek te kussen, het plekje achter haar oren. Je vraagt je af hoe ze zou reageren. Misschien zou ze haar gezicht naar je toedraaien, je haar oogleden laten kussen, haar neus en dan haar lippen. Ze zouden zoet proeven, als roze cocktails.

'Dank je dat ik langs mag komen,' zegt ze snotterend.

Je gezicht is warm en ongetwijfeld rood, maar ze kijkt je niet aan.

'Natuurlijk,' weet je met moeite te zeggen. Je laat je nek kraken, schraapt de kriebel uit je keel. 'Kan ik iets te drinken voor je halen?'

'Dat zou heerlijk zijn,' zegt ze, terwijl ze rechtop gaat zitten om je aan te kijken. 'Wijn, als je dat hebt.'

Je maakt je even zorgen dat je niets anders dan water met prik of sap hebt, maar herinnert je dan de doos die je ouders van hun recente cruise op de Middellandse Zee hebben gestuurd. Dat komt goed uit – op z'n zachtst gezegd. 'We hebben mazzel,' zeg je tegen haar, terwijl je de doos onder uit de provisiekast tevoorschijn haalt. 'We hebben een heel continent tot onze beschikking. Sangiovese, bordeaux...?' Delia glimlacht voor het eerst als je de flessen naast elkaar zet op de bar tussen de keuken en de zitkamer.

Ze kiest een Spaanse tafelwijn uit, je maakt de fles open en jullie gaan weer op de bank zitten, waar Delia je vertelt over de ruzie die ze net met Graham heeft gehad. Als ze eenmaal begint, lijkt het wel of ze niet meer kan stoppen. Hij had kritiek op haar gehad omdat ze haar vader helpt, omdat ze haar baan niet opzegt, omdat ze niet genoeg zingt. Hij was gemeen. Hij was onredelijk. Je schenkt haar een tweede glas in, dat ze bijna direct achteroverslaat. Ze wil meer gaan zingen, zegt ze. Ze wil naar New York verhuizen. Dat was altijd al het plan. Maar het geld hebben ze daarvoor niet, en wat moet ze ondertussen dan? Doen wat hij heeft gedaan? 'O, ik zou het niet moeten zeggen,' zegt ze. 'Ik zou het niet moeten doen, maar toen jij en ik elkaar voor het eerst ontmoetten...' Ze snottert en je snelt naar de badkamer om een tissue voor haar te pakken, maar de doos is leeg, dus trek je een lang stuk wc-papier van de rol en je geeft het aan haar. '...Was Graham...' Ze aarzelt opnieuw, je veegt een traan van haar wang met het andere eind van het stuk wc-papier, en dan vertelt ze je dat Graham een paar maanden als prostitué heeft gewerkt. Voor mannen.

Het gekras van het potlood is haast uitzinnig en in de daaropvolgende minuten kost het je moeite je te concentreren op wat ze zegt. Je doet je best op een gezichtsuitdrukking die zowel aangeeft dat Delia het Graham terecht heeft laten proberen – 'Ja, hij had het direct moeten inzien...' – als dat ze terecht vol afschuw was – 'Natuurlijk was dat voor jou geen leven zo.' En nee, zeg je, je bent niet boos dat ze jou heeft gebruikt om haar punt te maken. 'Ik ben blij dat ik je heb leren kennen,' zeg je. De woorden klinken afstandelijk en vlak.

Maar wat er ondertussen door je hoofd spookt, is: mijn-god-niet-te-geloven. En tegelijkertijd is het achteraf gezien opeens allemaal duidelijk – hoe Graham die ochtend thuiskwam, de manier waarop ze met elkaar omgingen – ja – hun geruzie, hun bijleggen, hij die zijn 'baan' opzei. Wat een hoogtepunt in het boek, en dan hier te zijn met Delia als de lezer ontdekt dat dit belangrijke personage niet is wie hij leek te zijn...

Tenzij de lezer dat al vanaf het begin wist.

Dat zou mooi waardeloos zijn.

Er valt een stilte. Je weet niet zeker waar ze is gebleven. Je wilt haar dolgraag zeggen dat ze te goed is voor Graham, maar dat lijkt een beetje riskant. Ze is bij je gekomen voor steun. Voor troost. En bovendien is er werk aan de winkel als jij haar op weg naar de top gaat helpen. Dus zeg je dat ze schitterde op Monty's feestje, dat je wist dat ze goed zou zijn, maar dat je niet had durven dromen dat haar optreden zó krachtig zou zijn, dat je nog nooit iemand zó goed hebt horen zingen. 'Ik zag je voor me, op een groot podium met een enorm publiek,' vertel je haar. 'Je zou een ster kunnen zijn.'

Delia geeft je spottend een zetje, en haar hand tegen je borst doet een siddering door je lichaam gaan.

'Ik meen het,' zeg je.

'Ik wou dat ik ervoor kon gaan,' zegt ze tegen je, 'het tenminste proberen, maar zo eenvoudig is het niet. Graham heeft er duidelijk geen benul van wat planning inhoudt. En die ene keer dat ik mijn vader om hulp vroeg, deed hij zo gemeen. Hij zei dat ik het nooit zou redden in New York, dat ik kapot zou gaan, net als iedereen. Hij vindt het prima om schoenen voor me te kopen of de kapper te betalen, maar echt helpen wil hij niet. Het is waar, hij gelooft niet in me, zoals Graham altijd zegt. En nu Graham nauwelijks werkt, zit sparen er niet in, zodat de verhuizing steeds verder opschuift. En hij heeft gelijk, wat doe ik nou helemaal met mijn leven in de tussentijd? Het is gewoon niet eerlijk.'

Even verlies je jezelf in Delia's ogen, nog zwart en glanzend van de tranen. 'Nee, het is ook niet eerlijk,' zeg je, haar schouders zachtjes strelend. Helemaal niet eerlijk, denk je. Niet eerlijk dat mensen die het verdienen om in de schijnwerpers te staan zo gemakkelijk over het hoofd worden gezien. Niet eerlijk dat mensen bij geliefden blijven die ongeschikt voor ze zijn. Niet eerlijk dat Graham haar kan belazeren, op haar kosten kan teren en de hele dag thuis kan zitten, en zodoende haar dromen uitstelt, belemmert. Niet eerlijk dat ze überhaupt van hem houdt, dat je niet gewoon kunt eisen dat ze hem onmiddellijk verlaat. Dat ze je vertelt wat een goede vriend je bent en dat ze je niet als meer dan dat lijkt te beschouwen, en dat als je haar vertelt wat je voor haar voelt je wellicht elke vorm van omgang met haar in gevaar brengt, om nog maar te zwijgen van je plek in het boek. Háár boek, wat niet eerlijk is, want meedoen in een boek is jóuw droom en niet die van haar. Het is niet eerlijk dat de auteur deze ruzie tussen Graham en Delia waarschijnlijk heeft vastgelegd, dat het zeker het verhaal ten goede is gekomen, dat door hun relatie elke romantische verhaallijn die naar jou leidt op de achtergrond raakt, en dat jij in de rol van trouwe vriend en jaknikker nog de meeste kans maakt in dit boek te blijven. Er is zo veel niet eerlijk aan dit moment. En als Delia vraagt of ze vannacht op je bank mag blijven slapen, voelt dat misschien nog wel als het oneerlijkst.

Je zegt ja. Je gooit haar tas op de stoel, haalt lakens en een deken uit de linnenkast en een kussen van het bed. 'Morgen is alles weer goed, toch?' zegt ze als je klaar bent met het opmaken van de bank. Ze is vijf jaar jonger dan jij, en voor het eerst sinds je haar ontmoet hebt, lijkt ze dat ook echt.

'Vast wel,' zeg je.

Het gekras stopt als je je slaapkamer inloopt en keert de volgende ochtend terug wanneer je er weer uitkomt. De deken ligt netjes opgevouwen op het midden van de bank, met bovenop een briefje waarin ze je bedankt voor het luisteren naar haar onnozele problemen en je vraagt om niets te zeggen tegen Graham of 'de jongens'. Ze is naar huis om het bij te leggen. Ze moet gewoon geduldig zijn, schrijft ze, dan komt alles vanzelf goed. Tot snel en veel liefs.

Veel liefs. Op papier. Meer zit er niet in.

'Wat krijgen we nou...?' zeg je tegen jezelf, tegen het briefje, tegen de auteur. 'Waarom ben je hier überhaupt als dit alles is?'

Vanzelfsprekend zegt de auteur niets.

Je laat je op de bank vallen naast de deken. Je hebt hoofdpijn en je bent moe. Je weet niet meer wat je moet doen. 'Wat zit je over me te schrijven?' vraag je.

En je ziet het aankomen als een klap in je gezicht. Geen reactie. Geen teken. En het gekras stopt.

Het potlood van de auteur begroet je zodra je thuiskomt van de sportschool. Je hebt de hele dag zitten wachten tot er iets zou gebeuren – tot je een idee zou krijgen, een teken. Rond lunchtijd dacht je dat je het potlood buiten hoorde krassen, dus sprong je onder de douche, kleedde je je aan en bereidde je je voor op wat kon komen. Maar toen besefte je dat het de grasmaaier van de buren was en voelde je je nogal onnozel. Het schone blauwe overhemd dat je vanmiddag had aangetrokken, hangt aan de deurknop van je kast. Je hebt het zelfs nog staan strijken in afwachting van... van wat? Niets, zo bleek.

Op het moment draag je een korte hardloopbroek en een T-shirt, allebei doorweekt. Je hebt een goede drie kwartier op de loopband doorgebracht en geprobeerd niet aan Delia's briefje van vanmorgen te denken. Je bent bezweet. Je bent oververhit. Je stinkt. Het voelt niet goed om in deze toestand veel tijd door te brengen op de pagina, maar je wacht nog even om te kijken of de intenties van de auteur duidelijk worden.

Je haalt een fles water uit de keuken. Drinkt 'm leeg. Vijf minuten gaan voorbij. Je drinkt een tweede fles leeg. Tien minuten. Je neemt een douche. Potlood blijft krassen. Je kijkt naar het blauwe overhemd. Een beetje netjes voor een zondagavond thuis. Gaat er dan niets gebeuren? Corrone zegt dat het soms belangrijk is om de personages alleen maar te observeren; dat mag dan wel belangrijk zijn, maar voor die personages is dat knap ongemakkelijk. Je kunt toch moeilijk een heel hoofdstuk lang alleen maar tv-kijken en rekeningen betalen. De auteur moet een reden hebben dat hij dit moment in je leven belangrijk vindt.

Dan zie je dat je mobieltje knippert: Delia. Maar tijd om opgewonden te raken heb je nauwelijks omdat het sms'je al net zo irritant is als het briefje. Geen enkele verwijzing naar jullie gesprek gisteravond of haar vroege vertrek vanmorgen. Ze wil weten of bij jou thuis een bos sleutels uit haar tas is gevallen. Het zijn de huissleutels van haar vader, niet van haarzelf, dus ze heeft ze niet direct nodig. Ze wil alleen even weten of ze daar zijn.

Je loopt naar de stoel waarop haar tas gisteravond lag en vindt de sleutels half verstopt achter een kussen. Nogal een domper, als dit alles is wat de auteur wilde laten zien. Even ben je bang dat je geïrriteerd klinkt als je haar nu meteen terugbelt – want je bent geïrriteerd, door haar, door de auteur – maar dan bedenk je ook, terwijl je de sleutels op de salontafel legt, dat je er misschien iets mee moet. De auteur heeft vast niet als enig doel jou pissig te maken.

Het potlood blijft krassen. Sleutels. Vader. Het krassen neemt toe, en je probeert na te denken, maar je zou willen dat het geluid even ophield. Als de auteur er is, hangt er altijd een gevoel van verwachting in de lucht, en het geeft nogal wat druk om ter plekke oplossingen te moeten bedenken. Je laat je op kantoor nooit pushen om voor de vuist weg ideeën te spuien; je vraagt altijd tijd om over dingen na te kunnen denken, te kunnen reflecteren. Je loopt van de zitkamer naar je slaapkamer en terug. Haar vader is in het buitenland, en zij is de afgelopen weken een paar keer bij zijn huis langsgegaan om te kijken of alles goed is. Wat moet ik hiermee?

Het gekras wil nog steeds niet weggaan, dus besluit je zelf te vertrekken. Je trekt een nieuw T-shirt en een schone sportbroek aan en gaat naar buiten. Op de hoek ga je naar links. Maar het gekras blijft je volgen, zelfs als je je tempo opvoert. Door Lawson Street, naar Greer, over het speelplaatsje. Je rent inmiddels flink door, maar het lukt je niet de auteur af te schudden, en ondertussen probeer je steeds te doorgronden wat dit betekent. Je moet iets op het spoor zijn. Sleutels, het huis van haar vader, gisteravond, Graham, haar geldzorgen...

En dan gebeurt het. Als je Brookside oversteekt, met de auteur op je hielen, valt het muntje opeens. Dat huis is leeg. Meneer Benson is maandenlang op pad. Wat Delia moet doen, is de juwelen van haar overleden moeder meenemen. Ze zat te klagen dat haar vader wil dat ze ervan afblijft omdat hij bang is dat ze ze verkoopt. Maar die juwelen zijn natuurlijk haar wettig eigendom, en zoals ze zelf zei, als ze genoeg waard zijn om haar op gang te helpen, waarom zou ze ze dan niet verkopen? 'De Vrijheid van de Broche' – het hoeft geen toneelstuk te worden, het zou werkelijkheid kunnen zijn. Of de titel van een boek, misschien wel dit boek.

Dit zou in één klap alles kunnen oplossen. Als Delia zich niet zo gebonden voelde, zou ze haar baan kunnen opzeggen, zich kunnen richten op haar muziek en haar dromen kunnen waarmaken. Ze zou de vrijheid hebben om naar New York te verhuizen, en daar ben je zo met de trein. Ze zou een excuus hebben om weg te gaan bij Graham, en eenmaal op afstand zou ze inzien dat ze zich voor eens en voor altijd van hem moest bevrijden. Sterker nog, als zij er niet was om hem te steunen, zou Graham waarschijnlijk weer als prostitué aan de slag gaan, en dan zou ze hem zeker laten vallen.

Dit is perfect. Monty gaat naar New York verhuizen, dus

hij zal het idee wel steunen, en afhankelijk van de duur van haar vaders afwezigheid zou Delia al veilig en wel in New York kunnen zitten tegen de tijd dat hij terugkomt. Je springt over een afvalbak alsof je een horde neemt. Alles wat je nu nog moet doen, is haar overtuigen. 'En dat ga ik niet over de telefoon proberen te doen,' zeg je hardop. 'Oké?' Je gaat de hoek om naar rechts en loopt in de richting van de verkeerslichten op Comm. Ave. Je hart bonkt. Je kijkt op je horloge. Je redt het waarschijnlijk net om binnen tien seconden bij de hoek te zijn. 'Oké?' zeg je nogmaals. Het potlood van de auteur lijkt te vertragen, en als je negen seconden later bij de kruising bent, verdwijnt het gekras in het verkeersrumoer.

Je staat in je eentje in een verduisterde slaapkamer, even dusdanig gebiologeerd door het met kant afgezette roze dekbed en de piepkleine bloemetjes op het behang dat het je niet opvalt dat het krassende geluid weer terug is. Je bestudeert de ballerinabeeldjes op de ingebouwde witte boekenplanken, stopt dan als je het hoort. Het is na negenen en je bent verbaasd dat het gekras zich nu pas weer laat horen. Je dacht er net zelfs nog over alles af te blazen als de auteur niet snel kwam opdagen. Met een hoofdknikje als groet loop je Delia's kinderkamer uit, op zoek naar de slaapkamer van haar vader.

Toen je vanmorgen wakker werd, besefte je dat je briljante idee van gisteren niet helemaal zonder gebreken was. Delia zal niet zo kordaat tegen haar vader optreden als ze volgens jou zou moeten doen. Ze heeft hulp nodig. Dat heb je de hele tijd al gedacht. Daarom ben jij in dit boek. Dus heb je je plan aangepast, haar vader opgezocht op internet, gewacht tot het donker was, en toen ben je vertrokken naar het lege huis in Winchester.

Boven op de overloop loop je langs verschillende deuren voordat je de laatste kamer binnengaat, waar mahoniehouten meubels staan en een lichte muskusgeur hangt. De slaapkamer van haar vader is al net zo netjes en geordend als de rest van het huis. Je schijnt met je penlight in de kast. Kleding ligt opgevouwen in stapeltjes op de planken. Er slingeren geen kleren of dozen op de vloer. Voorzichtig tast je tussen de stapels opgevouwen truien en poloshirts om te kijken of daarachter iets verborgen ligt. Je hebt gele rubberen handschoenen aan, het soort dat je moeder zou dragen bij de afwas of het schoonmaken van de badkamer, maar je voelt je geen inbreker. Je hebt de sleutels en je bent hier namens Delia.

Het enige wat je gaat doen, is de juwelen meenemen. Op die manier hoeft zij er nooit de verantwoordelijkheid voor te nemen of ruzie te maken met haar vader. Je wilt dit gewoon zo eenvoudig mogelijk voor haar maken. Als je zorgt dat het huis eruitziet alsof er is ingebroken en de stukken verpandt waarvan zij zegt dat het moet, kan ze lang voordat haar vader de kans heeft aangifte van een 'misdrijf' te doen het geld in handen hebben. En mocht ze het een afschuwelijk idee vinden om de juwelen te verkopen – maar waarom zou ze? – dan kan ze alles gewoon terugleggen voordat haar vader terugkomt.

Je schijnt onder het bed – stof en sloffen, verder niets – maar als je weer gaat staan, blijft je blik op het nachtkastje hangen. Daar staat een ingelijst footootje van een meisje in een wit-met-roze badjas met een microfoon die groter is dan haar arm. Ze is een jaar of zeven, heeft donker golvend haar dat over haar schouders valt en een bekend ondeugende blik in haar ogen. Voorbestemd voor het toneel, denk je. Heeft de auteur dat daar neergezet zodat jij het zou zien? Bedankt, wil je zeggen. Je zegt het in gedachten.

Het was vreemd dat de auteur zo lang op zich liet wachten. Toen je de roddel de wereld in hielp die tot Monty's promotie heeft geleid, was je ook alleen, maar dat was kantoorpraat. Een inbraak lijkt de moeite van het vastleggen waard. Toen je de sleutel in de zijdeur stak en nog steeds geen gekras hoorde, begon je je af te vragen of de auteur misschien niet wilde dat je dit deed. Misschien waren de vergeten sleutels als teken voor iets anders bedoeld. Of misschien was het helemaal geen teken maar gewoon een vergeten sleutelbos.

Nu, terwijl je langzaam de ladekast begint uit te kammen, voel je je hoopvol. Het potloodgekras loopt synchroon met jouw zware ademhaling, en deze geluiden, in combinatie met het open- en dichtdoen van de lades, weerklinken door de donkere kamer. De inhoud van de lades is onopvallend: sokken, oude portemonnees en horloges, zakdoeken en aftershave. Maar achter in de onderste la vind je een blauwe fluwelen doos die als je 'm opendoet, niet geheel verwonderlijk, de juwelen blijkt te bevatten waar je zo veel over hebt gehoord.

'Is dit allemaal echt?' mompel je hardop. De stukken zijn fors en grof. Ze lijken op de *costume jewelry* die je in speelfilms en discountzaken ziet, behalve dat deze juwelen verbazingwekkend zwaar zijn. Er zijn meerdere ringen met grote gekleurde stenen omringd door kleine diamanten. Er is een parelsnoer, waarvan Delia een keer zei dat het perfect zou zijn voor een Jackie O-achtig ensemble. Een paar stukken vind je wel stijlvol – een broche met smaragd, een kleine hanger met saffier en diamant – maar de grotere stukken, die van haar voorouders moeten zijn geweest, zien er zo zwaar en onaantrekkelijk uit als Delia en Monty al zeiden. Waarom zou je die willen houden, dat had ze gezegd.

En dan hoor je iets anders. Niet de auteur, maar een ander geluid – dat van beneden komt. Een deur. Je verstijft, geknield op de slaapkamervloer voor de doos met juwelen. Misschien was het maar verbeelding, zeg je tegen jezelf, maar je weet dat het niet zo is. Het gekras zwelt aan, en je moet je best doen om erdoorheen te kunnen luisteren. Voetstappen, beneden. Wat ga je tegen haar zeggen? Je kijkt omlaag naar de felgele handschoenen. Plotseling lijkt het hele idee absurd. Kunnen we teruggaan en dit uitwissen? wil je vragen.

Voorzichtig ga je staan, en terwijl je dat doet, kraakt de houten vloer.

'Hallo?' roept een mannenstem.

Je zegt niets, blijft half gehurkt, half rechtop uit angst dat de vloer weer kraakt. Zou het een echte inbreker kunnen zijn? Nee, dat zou nog absurder zijn.

'Delia, ben jij dat?' De stem wordt gevolgd door nog meer voetstappen beneden.

Je hart bonkt. Dit is niet volgens plan. Hij zou in het buitenland zijn. Snel schuif je de juwelendoos onder de ladekast, doet de la dicht en glipt de badkamer binnen. Je enige impuls is je te verstoppen. Wat moet je anders? Het gekras van de auteur klinkt steeds harder, net als de voetstappen van beneden.

'Delia, ben je boven?'

Beneden gaat een lamp aan en het licht sijpelt de slaapkamer binnen, iets valt met een dreun op de vloer, dan: 'Ik weet dat er iemand boven is. Ik hoor je heus wel.'

Even gaan de voetstappen verder weg en komen dan weer terug.

'Hallo?' roept de man onder aan de trap. 'Oké, nou is 't mooi geweest.'

Dit was niet de bedoeling. Je kijkt omhoog naar het plafond alsof je de blik van de auteur zou kunnen vangen.

'M'n geduld is op.... ik heb een pistool.' De trap begint te kraken.

De man bluft niet. Dat weet je zeker. Je hebt beneden de antieke pistoolfoedralen gezien. Je weet dat hij een pistool in de keuken heeft liggen. Dat hij maar al te graag wil gebruiken, aldus Graham. En nu sta jij op het punt hem die kans te geven. Dit kan niet waar zijn. Dit kán niet waar zijn. Maar de langzame beweging de trap op gaat toch door. Het schiet je te binnen, terwijl je hurkt voor de douche, dat dit echt je dood kan worden. Dit is Delia's roman. Die kan ook prima zonder jou doorgaan. Misschien ben jij er wel bij gehaald om je op te offeren aan de bloeddorst van haar vader. Misschien was het nooit de bedoeling dat dit een boek zou worden over succes of een driehoeksverhouding of een vreemde-met-een-hart-van-goud. Misschien is dit wel een familiedrama. Over Delia, Graham, meneer Benson. Misschien volgde de auteur vanavond wel haar vader op weg naar huis toen jij dacht dat jouw inbraak geobserveerd had moeten worden. Jij kunt het niet weten. Jij schrijft dit boek niet.

'Kom maar tevoorschijn.'

De man moet nog steeds op de trap staan. Met in zijn handen een pistool, daar twijfel je niet aan. Dat uit de keukenkast. Je hebt gehoord dat er daar een ligt, achter de broodtrommel. Dan wordt je aandacht getrokken naar het nachtkastje een paar passen van de badkamerdeur vandaan. De keukenkast en het nachtkastje – dat zijn de twee plekken waar hij volgens Delia een pistool bewaart. Zonder erbij na te denken ruk je de plastic handschoen van je rechterhand, sluipt stilletjes de slaapkamer binnen en doet het laatje van het nachtkastje open. Daarin ligt een opengeritst leren tasje. Je steekt je hand erin en haalt een pistool tevoorschijn. Je hebt nog nooit een pistool aangeraakt. Het is zwaarder dan je dacht.

Afgaand op de stilte in de gang is meneer Benson blijven staan, maar hij moet hebben gehoord dat je het laatje opendeed. Je werpt een blik naar buiten door het raam naast de badkamerdeur. Het komt uit op een betonnen patio. Zelfs al lukt het je buiten te komen zonder neergeschoten te worden, dan nog bezeer je je waarschijnlijk bij de val, wat meneer Benson de tijd geeft je in te halen. Je neer te schieten zelfs. Je mag niet doodgaan, vertel je jezelf. Dus wat moet je nu? Je rent pijlsnel terug naar de badkamer en laat je op de vloer vallen, met je rug tegen de kastjes.

Het potlood krabbelt sneller dan je ooit hebt gehoord. De aandacht van de auteur heb je zeker. De trap kraakt opnieuw, maar het potloodgekras wordt steeds luider, overstemt het geluid van de trap, het bonken van je hart. En als je de man de slaapkamer ziet binnenlopen, als je de schittering van het metaal in zijn hand ziet, als je beseft dat hij jou nog niet heeft ontdekt, gebeurt het allemaal plotseling en zonder nadenken. In een snelle beweging glip je de badkamer uit, richt het pistool en vuurt eenmaal op de borst van meneer Benson. Het geluid dat uit hem komt, houdt het midden tussen een snik en een kuch. Dan valt hij naar achteren, met een dreun tegen de muur en glijdt omlaag.

Het rood ziet er bijna onnatuurlijk helder uit. De witte muur zit onder de bloedspatten, langzaam ontstaat een plasje op de eikenhouten vloer en je moet je omdraaien om te voorkomen dat je maag het begeeft. Je hand beeft nog na van de trilling van het pistool. Het schot gonst in je oren. Je hebt de grootste moeite om te blijven staan, dus doe je een stap terug de badkamer in en laat je je op de vloer zakken, net als daarnet met je rug tegen de kastjes.

Je hebt deze man zojuist doodgeschoten. Deze man die op het punt stond jou dood te schieten. En het ging allemaal zo snel... zo gemakkelijk. Het verbaast je dat je op het laatste moment niet aarzelde, niet met de mogelijkheid rekening leek te houden dat jij als eerste kon worden neergeschoten, dat je kon missen, dat het pistool een of ander veiligheidsmechanisme kon hebben, dat het pistool misschien niet eens geladen was. Op het moment dat je voelde dat je moest schieten, vroeg je je niet af of het zou lukken.

Omdat de auteur je liet schieten. Zo is het gegaan. Natuurlijk lag het pistool voor het grijpen. Natuurlijk was het geladen. Natuurlijk raakte je je doel in één schot. Je bent hier gekomen om Delia te bevrijden en de auteur heeft daarvoor een betere manier bedacht. Terwijl er een rilling door je lichaam gaat – het besef dat de man in de andere kamer dood is vanwege jou – zet je de gedachte van je af. 'Het is slechts een personage,' zeg je, waarbij je stem harder klinkt dan bedoeld. Dit was zijn rol in dit boek. Om gedood te worden. In een hoop boeken komen personages voor die enkel en alleen binnenwandelen om neergeschoten te worden. Geen fraaie rol, maar ook niets nieuws.

Door een klik van de airconditioning kom je met een schok in beweging. Je moet maken dat je wegkomt. Misschien heeft iemand het schot wel gehoord, de politie gebeld. Zonder erbij na te denken verander je in een personage uit talloze moordverhalen. Je trekt je handschoen weer aan en veegt met een washandje het pistool schoon. Het gekras volgt je terug de slaapkamer in, waar je probeert niet naar het lichaam van meneer Benson te kijken terwijl je het pistool terugstopt in het leren tasje en de washand over het handvat van het nachtkastlaatje haalt. Je trekt een paar lades open en verspreidt de inhoud. Dan grijp je de juwelendoos en een paar creditcards die je boven op de ladekast vindt en haast je je over het lichaam heen de gang in.

Even schrik je van de grote koffer onder aan de trap, maar je staat jezelf niet toe afgeleid te raken. Je loopt de trap af de studeerkamer in, waar je een bureaula leeggooit op de grond en de computer en televisie scheef achterlaat alsof iemand heeft geprobeerd ze mee te nemen. Je werpt een heimelijke blik naar buiten, waar zo te zien geen arrestatieteam op je staat te wachten. Dan gris je een blik bonen uit de voorraadkast, je loopt terug naar de zijdeur en gooit van buiten af een ruit in. Tot slot pak je onder uit de voorraadkast een boodschappentas, je smijt daar de juwelendoos, creditcards, het washandje en de gele afwashandschoenen in en glipt het huis uit, waarbij je de deur van het slot laat.

Door de Mercedes op de oprit deins je even terug. Met een zacht tikkend geluid staat de motor nog steeds af te koelen. Je loopt met afgemeten passen naar de stoep. Je bent als de dood dat een van de buren misschien het schot heeft gehoord, je misschien het huis uit ziet komen. Maar de huizen liggen vrij ver uit elkaar en er is niemand buiten, en ergens heb je het gevoel dat de auteur je zal beschermen. Je gaat linksaf, loopt langzaam. Je auto staat om de hoek geparkeerd. Twee deuren verder schiet een tiener op een fiets langs een huis naar buiten. Hij snijdt je af maar kijkt verder niet naar jou of je tas. De straat is donker. Achter veel ruiten brandt licht.

De deur van je auto knalt dicht, de veiligheidsgordel klikt vast, de motor slaat aan – alles klinkt verdacht hard, zelfs naast het potloodgeraas van de auteur. Meneer Benson was maar een personage, breng je jezelf in herinnering. En jíj bent maar een personage. Dat slechts doet wat de auteur je laat doen. Waarom heb je niets in de tas gestopt om de creditcards en handschoenen mee te bedekken? Maakt niet uit. Je rijdt weg en het valt niemand op. Je wordt niet gepakt. Je kunt niet worden gepakt. Want dit is jóúw boek geworden. Jíj bent de hoofdpersoon, niet een of andere jaknikker, niet een of andere tweedimensionale figurant. Jouw ontsnapping is essentieel, want dit is tot nu toe het spannendste moment van het verhaal. Het is zo'n boek aan het worden dat mensen niet kunnen wegleggen, zo'n boek dat op luchthavens wordt verkocht.

Thuis aangekomen ziet niemand je uit je auto stappen, hoort niemand de juwelendoos rinkelen terwijl je de trap oploopt. Je gooit de handschoenen in de vuilnisbak in de keuken – het zijn immers afwashandschoenen. Daarnaast is er geen enkele reden waarom je meneer Benson zou hebben beroofd, is het onmogelijk dat iemand het verband legt. Je gooit het washandje en de zaklamp ook weg, bergt de juwelendoos en creditcards op in een koffer onder je bed. Pas als je je tanden staat te poetsen besef je dat je de juwelendoos gewoon terug in de ladekast had moeten stoppen. Die stukken kun je nu echt niet meer verkopen – of aan Delia laten zien.

Maar dat los je later wel op. Voorlopig zal ze meer dan voldoende geld hebben en daar gaat het om. En als je op bed gaat liggen, je lichaam plotseling uitgeput, begin je de belevenis van die avond in gedachten opnieuw af te spelen waarbij je je probeert voor te stellen hoe je beschreven wordt. Het gekras, een geruststelling, blijft bij je; langzaam wiegt het je in slaap.

De ochtend nadat je iemand hebt vermoord, is raar. Je pakt een bagel uit de broodrooster. Het is een asiagobagel; die smaakt ook goed zonder iets, maar toch smeer je er een dun laagje roomkaas met knoflook en kruiden op. Je eet 'm op. Lekker. Pas nu herinner je je dat je gisteravond vergeten bent te eten. Dus had je honger. Heb je honger. De televisie heeft niets te melden. Je werpt een blik uit het raam naast de tafel. Verwacht je soms de FBI te zien? Detectives? Demonen? Je denkt er liever niet over na. Je kleedt je aan, pakt wat het dichtst bij het midden van de kast ligt. Het maakt weinig uit, het meeste lijkt op elkaar. De auteur is bij je, dat spreekt voor zich. Je hebt je overhemd nog niet aangetrokken of je kunt het alweer uittrekken, want je bent vergeten je te scheren. Je vraagt je af of je je misschien zult snijden. Dat doe je niet. Er gebeurt niets.

Je borstelt je haar en in de spiegel ontdek je een koffievlek op je overhemd. Het overhemd is donkerblauw, daardoor is de vlek nauwelijks te zien. Misschien kun je de vlek deppen met een washand. Behalve dat... Nee, je had dit overhemd niet aan bij het ontbijt. Dit is zelfs niet het overhemd dat je voor vandaag had gepakt. Dit is het overhemd van gister. Het is geen koffie. Het is bloed.

Je hebt nu twee opties en je kiest voor de laatste. Het is maar een vlek. Die gaat er vast wel uit. Gewoonlijk laat je je was doen, maar in dit geval lijkt het beter om bij de wasserette zelf het centrifugeren af te wachten. Vanavond doe je een donkere was. Je raapt de kakibroek van gister van de grond op. Ziet er nog prima uit. Maar als je toch bezig bent, kun je net zo goed gelijk een lichte was doen.

Je gaat naar je werk en de hele dag lijkt het krassen te komen en te gaan, maar echt aandachtig luister je niet. Op de lokale websites staat niets over meneer Benson, maar dat is ook niet echt hoe je verwacht het nieuws te vernemen. Dus jij en de auteur wachten allebei, maken een pas op de plaats. De uren gaan voorbij, zij het langzaam. Je zou eigenlijk marktgegevens moeten verzamelen over andere Italiaanse bedrijven die met succes tot de Amerikaanse markt zijn toegetreden. Pasta- en olijfolieproducenten lijken niet echt vergelijkbaar met een bank, maar aan jou de taak de gegevens in een Powerpoint-presentatie te zetten en te doen alsof het wel iets zegt. Je raakt steeds kwijt waar je gebleven bent in de artikelen, en probeert er niet aan te denken hoe het eraan toegaat in een gevangenis. Ook al was meneer Benson maar een personage – net als jijzelf – je leeft in een wereld waarin mensen anders denken. In jouw wereld bestaat de gevangenis. Er zitten een hoop slechte mensen in de gevangenis.

Zou dit een gevangenisboek kunnen worden?

Nee, er is te veel nadruk op het leven buiten de gevangenis geweest om het zo'n soort verhaal te laten worden. De auteur heeft te veel tijd geïnvesteerd in jou – en in Delia en wat jij voor haar doet. Het is allemaal zo knap opgezet. En wie zou jou in hemelsnaam in verband brengen met de schietpartij? Toch kun je maar beter voorzichtig zijn als je vanavond de vuilnis buiten zet. Er zou bloed op de handschoenen kunnen zitten.

De middag gaat voorbij, zoals altijd, net als het uur in de wasserette bij jou om de hoek. Dan wordt het acht uur en loop je naar Lilly's. En het voelt alsof je pas net in dit lichaam zit. Je bent je erg bewust van je benen, het gevoel van je voeten die contact maken met het beton buiten bij het café en binnen met de houten vloer, waar Delia je met een glimlach, opgetrokken wenkbrauwen en een grote zwaai begroet. Er zijn maar vier andere mensen in het café. Het is dinsdag. Martiniavond. Ze nipt aan een roze martini.

'Dag, lieve Daniel,' zegt ze. Er is een glinstering in haar ogen, zo'n glinstering als die je in de ogen van filmpersonages ziet. Zo'n soort glinstering die de filmmaker toevoegt zodat het publiek zegt, 'Ah, moet je die glinstering in haar ogen zien.' Zo komt het op jou over. Zij heeft geen idee. Ze heeft de ogen van haar vader.

'Graham is naar de wc,' zegt ze. 'Luister, ik heb hem niet verteld dat ik zaterdagavond naar jou ben gegaan. Dan zou hij zich misschien zorgen maken, omdat...' Ze laat jou de rest invullen, maar dat lijkt meer door gevoel voor tijd dan voor decorum te komen. 'Maar alles is nu goed,' voegt ze daar gehaast aan toe. 'Dank je dat ik m'n hart bij je mocht uitstorten. Het was fijn om aan mijn sentimentele gevoel te kunnen toegeven.'

'O, geen probleem,' zeg je. 'Fijn dat ik kon helpen.'

Fijn dat ik kon helpen?

'Heb je mijn berichtje gekregen?' vraagt ze.

'Berichtje?' zeg je. Waar heeft ze het in hemelsnaam over? Maar – o, ja, juist. 'Nee,' zeg je. 'Mijn telefoon doet een beetje raar. Sorry.'

'Maakt niet uit. Ik had alleen gevraagd of ik toevallig ergens een sleutelbos had laten liggen. Ik kan hem niet vinden en ik vroeg me af of-ie bij jou uit mijn tas was gevallen.'

'Jeetje, sorry. Was je buitengesloten?' vraag je. Goed. Goed denkwerk.

'Nee, hoor,' zegt ze. 'Het waren gewoon reservesleutels.'

'Nou, ik heb ze niet gezien, maar ik kijk zeker even als ik thuis ben.'

Graham komt aanlopen en slaat op je schouder. Als hij naar de bar loopt, legt Delia een vinger tegen haar lippen om 'shhh' te gebaren. Typisch zo'n gebaar uit een slecht geschreven boek en van de weeromstuit rol je bijna met je ogen. Maar je doet het niet. In plaats daarvan groet je Graham, die van de bar terugkomt met een nieuwe martini voor hemzelf en een voor jou. Hij vertelt over het honden uitlaten en dat mensen hun huisdieren zo veel beter behandelen dan hun kinderen. Dan komen Jon en Monty binnen, waarop Delia iedereen uitnodigt voor een Fourth of July-barbecue op vrijdag. Je vraagt je af of die uiteindelijk door zal gaan – dat lijkt niet erg waarschijnlijk. De uitnodiging doet Jon denken aan een andere barbecue waarbij een elektricien, een *salad bar* en *Sunset Boulevard* een rol spelen, en je probeert te luisteren en op het juiste moment te lachen, maar je hebt je aandacht er niet voldoende bij om de essentie te vatten. Omdat je te afgeleid bent. Door Delia's gezicht.

Het is griezelig, de gelijkenis. Vooral de ogen en de

scherpe, hoekige neus. Het voorhoofd is min of meer hetzelfde. Tenzij je geheugen je bedriegt. Je kunt je niet herinneren dat je haar vader goed hebt bekeken. Misschien is dit een schijnherinnering die de auteur toevoegt uit effectbejag. Je speurt je herinneringen aan gisteravond af: ballerinabeeldjes op een witte boekenplank, een jeugdfoto van Delia, grijze kastjes in de badkamer – dat was echt, toch? En de gelijkenis, die voelt ook nogal echt, ook al dacht je er toen niet aan. Haar ogen zijn uitgesproken, ongekend donker. Je herinnert je hoe ze je opvielen op de avond dat je haar ontmoette, dat je haar ogen bewonderde vanaf de overkant van de tafel – wat overigens dezelfde tafel is als waaraan jullie nu zitten.

'Dus ik zei, neem alles maar,' zegt Jon, en Delia, Graham en Monty barsten in lachen uit. Je probeert er een lach uit te persen, maar die klinkt volstrekt onnatuurlijk, dus doe je maar alsof je moet hoesten.

'Gaat het?' vraagt Delia.

'Gewoon verslikt,' zeg je.

Zo'n goede stemming aan tafel. Nou ja, voor hen allemaal is het een vrij normale avond. Behalve dan dat Delia in het weekend de nacht bij jou heeft doorgebracht. Maar wie zou dat weten? Monty misschien? Vast niet. Graham lijkt in z'n gewone doen. Hij heeft waarschijnlijk geen flauw benul dat je zelfs maar van hun ruzie af weet. Of zijn bron van inkomsten. De auteur krast erop los boven je – of om of naast of in je – en je vraagt je af of je iets mist in het gesprek dat de auteur wellicht vastlegt. Maar wat zou dat in vredesnaam kunnen zijn? Nee, jij en de auteur moeten dit gewoon uitzitten en kijken of er iets gebeurt. Er is geen andere manier om erachter te komen. Tenzij...

Tsjechov.

'Wat?' zegt Delia.

Tegen jou. Nu kijkt iedereen naar je. 'Niets,' zeg je.

Jon lacht. 'Je riep net "Tsjechov".'

Juist, gênant dus. 'Er schoot me net iets te binnen,' zeg je tegen hen, 'dat me aan Tsjechov deed denken. Sorry hoor.' Soepel. Heel soepel.

Je schuift van de bank om naar de wc te gaan en Graham lacht terwijl je wegloopt. 'Dat kan zomaar gebeuren,' zegt hij.

Nee. Niets gebeurt zomaar. Als er een pistool verschijnt in de eerste akte, moet dat tegen het einde van het verhaal afgaan. Of iets dergelijks. Dat stond in Corrones boek. Zodra Delia je over het pistool had verteld, moest het dus ergens in het boek afgaan. De zaadjes planten, de tuin water geven. Wat ben je toch onnozel. De auteur zit niet af te wachten, zit niet te kijken en vast te leggen. Je bent niet zomaar de hoofdpersoon geworden. Dit is allemaal gepland. Corrone besteedt wel twee, drie hoofdstukken aan hoofdlijnen en plot. Een boek kan niet voor de vuist weg worden geschreven. Moet je zien hoe moeilijk het al was toen je alleen maar een kort verhaaltje probeerde te schrijven. Alles wat tot nu toe is gebeurd, was van het begin af aan gepland: de schietpartij, die stomme brieven die je voor Graham geschreven hebt, de avond dat je het aanlegde met Delia – en verder terug – de avond dat je beroofd werd, de dag dat je geboren werd zelfs. Het is allemaal opgebouwd. Je bent onderdeel van een soort hedendaags sprookje: held verslaat draak om meisje te bevrijden. En omdat jij de held bent, krijg jij uiteindelijk het meisje. Want zo gaat dat altijd in dit soort verhalen.

Ongelooflijk dat je dat niet eerder hebt beseft. Je haalt een paar keer diep adem en wast je gezicht. Het gekras is nog steeds bij je. Dit hoofdstuk is nog niet voorbij. Je moet weer terug, maar je hart gaat tekeer en je gezicht is rood. Je moet tot bedaren komen. Je concentreren – of stoppen met concentreren. Dit zou een gewone avond moeten zijn. Dat is het. Niemand weet nog iets. Het is een gewone dinsdag.

'En, Tsjechov,' zegt Graham als je weer aanschuift, 'hoe vordert je boek?'

'O,' zeg je, 'het, ehm, vordert.'

'Langzaamaan?' vraagt Graham.

'Nee hoor... ehm... er gebeurt van alles en nog wat. Volgens mij gaat het wel goed.'

'Wat geweldig,' zegt Delia, waarbij ze op de bekende manier haar roze glas heft. 'Ik verheug me erop het te lezen – als je het af hebt.'

Je hoopt dat ze blij zal zijn – of op z'n minst opgelucht. Later. Eerst zal ze verdrietig zijn. Er moet nog zo veel gebeuren voordat het geluk aanbreekt, en je ziet op tegen het wachten. Het lichaam is nog niet eens gevonden. Of misschien wel. Nee, de politie zou Delia snel inlichten. Het moet inmiddels vreselijk stinken. Even duikt het beeld op van het bloed op de muren. Dan sta je weer in de slaapkamer, opgejaagd, met bonkend hart. Je graait naar het pistool en schiet. Hij had elk moment kunnen terugschieten. Maar je hebt krankzinnig goed gemikt.

'Iemand een martini?' vraagt Monty, drie glazen balancerend in zijn handen.

'Zeker,' zeg je, terwijl je je lege glas opzijschuift.

Delia reikt over tafel en laat haar hand op die van jou rusten. 'Je begint een beetje dronken te worden, meneer Fischer.' Jullie eerste ontmoeting komt je weer voor de geest. Het verleiden. Hoe jullie je uitkleden. Haar zachte gekreun op de bank, die laatste bevredigde zucht. Haar hand voelt warm, klam. En het duurt even voordat ze haar hand terugtrekt, pas nadat je haar ondeugende grijns opmerkt. Die heeft iets ondeugends, toch? Dat moet een teken zijn. Hoe heet het ook alweer? Een voorbode. Het gaat niet bij die ene keer blijven.

De ochtend daarop nog steeds geen nieuws, maar je moet de sleutels uit je huis zien te krijgen, dus bel je Delia of ze tijd heeft om te ontbijten. Maar ze zit in de metro en de mobiele ontvangst is heel slecht, en ze zegt dat je ze maar gewoon vrijdag naar de barbecue moet meenemen en dan wordt de verbinding verbroken. Uiteraard kan er van alles gebeuren de komende dagen, de komende uren zelfs. Hoe onoplettend kunnen de buren zijn? Dus je koopt een croissant en een latte vanille voor onderweg en rijdt rechtstreeks naar haar kantoor met de sleutels. Ze is verbaasd je te zien, maar dankbaar. 'Dat had je echt niet hoeven doen,' zegt ze.

Je besluit de zelfverzekerde man te zijn die haar het hof maakt. Dat is sowieso de richting die dit opgaat. 'Ik wilde je uitnodigen voor het ontbijt,' zeg je tegen haar, met de nonchalante glimlach waarop je in de auto hebt geoefend. Het werkt. Ze omhelst je uitvoerig, stuurt je dan weg.

Monty komt de ochtend daarop met het nieuws.

Je hebt in gedachten al alle mogelijke scenario's de revue laten passeren – een telefoontje van de politie aan Delia tijdens je snelle bezoek aan haar kantoor, Jons sombere gezicht dat je begroet op wat een avondje uit zou worden, Delia's hysterische stem aan de telefoon, een onduidelijk maar onheilspellend bericht op het avondnieuws, een detective in burger die Lilly's komt binnenbenen, een politieauto die bij de barbecue van Delia en Graham komt aanrijden. Als je op kantoor je naam hoort uit de deuropening, je je blik opricht en de goed geklede figuur op de drempel ziet staan, weet je wat Monty je gaat vertellen, en je bladert door de scenario's naar een andere scène die je je al hebt ingebeeld.

Ondanks jullie sociale omgang van de afgelopen maanden hebben jij en Monty daarnaast geen vriendschap opgebouwd tijdens kantooruren. Zijn kantoor ligt vier verdiepingen hoger, jullie gebruiken andere vergaderzalen en koffiekannen, en jullie hebben maar weinig gedeelde bijeenkomsten. De paar keer dat je hem op kantoor tegen het lijf bent gelopen, heeft hij je slechts begroet met een korte bevestiging van je naam, en het voorafgaande 'hallo' of 'goeiemorgen' achterwege gelaten. Dus Monty's bezorgde toon van vandaag en zijn verschijning in de deuropening alleen al kunnen maar één ding betekenen.

'Heb je het al gehoord?' vraagt Monty, zoals je wist dat hij zou doen.

Je tovert je nieuwsgierige gezicht tevoorschijn. 'Wat gehoord?'

'Over Delia's vader.'

Trekt je wenkbrauwen op. 'Haar vader?'

'Hij is vermoord.'

Je snakt naar adem. Je hebt je adem ingehouden om deze reactie te bewerkstelligen en weet het met enig succes te brengen. Delia weet het zelf pas sinds vanmorgen, vertelt Monty je. Een koerier zag een ingetikte ruit bij de zijdeur van haar vaders huis en heeft de politie gebeld. Die zijn gekomen, hebben het huis doorzocht en meneer Benson dood aangetroffen in zijn slaapkamer. Hij lijkt te zijn vermoord toen hij een inbraak probeerde te verijdelen. Delia wist niet eens dat haar vader terug was.

'Mijn hemel,' zeg je met tussenpozen. 'Arme Delia. Wat afschuwelijk.'

'Ik ga nu naar het politiebureau.'

'Zal ik met je meegaan?' vraag je, terwijl je gaat staan.

'Nee,' zegt Monty. 'Misschien heeft Graham Delia al mee naar huis genomen. Ze hebben iemand nodig om het lichaam te identificeren en... nou ja, daar is ze nou niet bepaald toe in staat.'

'Tsjee,' zeg je, en een kou slaat om je heen. Het beeld van een lijk in een la in een mortuarium, zoals op televisie, benadrukt de realiteit van de situatie. Maar dat is nou eenmaal waar lijken worden bewaard, vertel je jezelf. Dat is de consequentie van een schietpartij.

'Waarschijnlijk is de begrafenis dit weekend,' zegt Monty nog. Er volgt een lange stilte en het valt je op dat Monty je kleine kamer nauwelijks is binnengestapt. In de versie die jij je had voorgesteld, had Monty de deur dichtgedaan en plaatsgenomen in de stoel voor bezoek, af en toe zijn gezicht bedekt met zijn handen. Maar in werkelijkheid is Monty doodkalm. Star maar kalm. 'Maar goed,' vervolgt hij, waarbij hij zijn gewicht weer verlegt naar de gang, 'ik moet maar eens gaan. Ik dacht dat je het wel wilde weten. Het zal straks vermoedelijk uitgebreid op het nieuws zijn.'

Gedurende de loop van de dag kijk je op internet voor berichten over de moord. Tijdens de lunchpauze zit je in een duister eettentje waarvan je weet dat ze de televisie aanhebben; je krijgt je clubsandwich niet weggewerkt en hebt zelfs moeite stil te zitten. Pas om twee uur, een uur na de lunch, verschijnt het eerste bericht op een lokale website. Het is een enorme opluchting en nadat je het de eerste keer hebt gelezen, haal je de sandwich tevoorschijn waar je je eerder geen raad mee wist. Het verslag bericht van een nachtelijke inbraak die in een vuurgevecht is geëindigd. Door de onjuistheid van het verhaal voel je een afstand, maar het heeft ook iets herkenbaars, net als bij een film of een boek. Je stelt jezelf voor in de positie van de inbreker, alsof de fictie werkelijkheid is. Het is middernacht en je bent aan het inbreken, gehuld in het zwart, bestelbusje op de oprit. De deur gaat open, een schot wordt gelost, dan nog een schot en nog een. Je rent naar boven, trekt een pistool uit je achterzak en vuurt af als de bewapende eigenaar de kamer binnenloopt.

Het televisienieuws van zes uur vertelt een verhaal dat meer klopt. Geen verwijzing naar een vuurgevecht, hoewel de eigenaar wel een pistool bij zich droeg. Het moordwapen behoorde aan de overledene. De inbreker is ervandoor gegaan met wat waardevolle spullen, maar is duidelijk vertrokken voordat hij het karwei kon afmaken. Interviews met buren, die niets interessants te melden hebben. Dan door met nieuws over het nieuwste fiasco op snelweggebied. Je zapt langs de kanalen, bekijkt de reportage op een tweede kanaal, bekijkt nogmaals reportages om zeven en elf uur, en gaat vrij onbezorgd naar bed. De waarheid is naar buiten gebracht. De man is doodgeschoten door een inbreker. Inbrekers worden nooit gevonden door de politie. Niemand ter wereld zal jou verdenken omdat je geen reden had om daar te zijn. Einde verhaal.

Die nacht in bed vraag je je af of de meisjes die jou be-

roofd hebben ooit gepakt zijn. Vast niet. Dat is niet echt
een sterk slot. Misschien zijn ze wel een studie gaan volgen,
rechten. Of misschien is het met de een goed afgelopen en
met de ander niet. Misschien houden ze zich nu bezig met
geraffineerdere vormen van misdaad – oplichterij of kunst-
roof of iets dergelijks. Daar zou je een leuke serie van kunnen maken. Zouden ze ooit nog aan jou denken? Zouden
ze niet verbaasd zijn als ze je nu zagen?

Graham

Graham blijft staan voor de deur van het appartement. Hij hoort het. Hij had gehoopt dat ze nog met Monty op pad zou zijn, of met haar familie in Winchester, maar ze is terug en zit weer op de bank waar hij haar vijf uur geleden heeft achtergelaten, te staren naar de televisie, met aan de ene kant de kat en aan de andere een kop koffie, thee of wijn. Hij zal even moeten blijven staan als hij door de kamer loopt, misschien naast haar gaan zitten – nee, tegenover haar – en haar vragen hoe het is gegaan. Laat haar in godsnaam niet huilen. Niet nu meteen. Tien minuten. Meer heeft hij niet nodig.

Graham schuift zonder erbij na te denken zijn haar achter z'n oor, kreunt dan en veegt zijn hand uitvoerig af aan zijn jeans. Oké, daar gaan we, zegt hij tegen zichzelf, dan haalt hij diep adem en doet de deur open. Delia hangt in een roze badjas onder een berg quilts onderuitgezakt op de bank. Haar donkere haar is mat, haar gezicht wit. De lichten zijn uit, alleen de televisie staat te gloeien.

'Hoi,' zegt ze zonder haar blik van het beeld te halen.

'Hai,' zegt hij.

'Alles goed? Je bent best lang weg geweest.'

'Ja hoor,' zegt hij, aarzelend voordat hij in de loveseat schuin tegenover haar gaat zitten. 'Ik moest nog bij een paar huizen langs. Twee honden uitlaten.'

'Mmm,' zegt ze, waarbij ze zich omdraait om hem aan te kijken.

Graham voelt zich alsof hij aan alle kanten stinkt. Hij vindt het vreselijk om de meubels aan te raken. Hij vond het zelfs vreselijk om de deurknop aan te raken. Hij kan zich er niet toe zetten Myra te aaien, die tussen hen in op de salontafel ligt. Hij zou willen dat Delia zich weer terug-draaide naar de televisie, dat ze in slaap was gevallen.

'Is het allemaal goed gegaan?' vraagt hij. 'Met het uit-vaartcentrum en zo?'

'Alles is geregeld,' zegt ze zachtjes.

'En is je familie goed aangekomen?'

'Iedereen is er,' zegt ze tegen hem. 'Ze zitten bij mijn tan-te.'

'Goed,' zegt hij. Maar hij weet niet wat hij verder moet zeggen. Vanmorgen had hij aangeboden te helpen met mensen afhalen van het vliegveld en met haar mee te gaan naar het uitvaartcentrum. Toen ze had gezegd dat hij zich daar geen zorgen over hoefde te maken, dat Monty met haar en haar tante mee zou gaan, had Graham niet geweten of hij zich opgelucht of beledigd moest voelen. Het is niet alsof hij het wilde.

'Gaat het goed met jou?' vraagt Delia met iets meer le-ven in haar stem dan hij de afgelopen drie dagen heeft ge-hoord.

'Ja hoor,' zegt hij, terwijl hij opstaat. 'Het was gewoon een lange avond. Ik moet nodig douchen. Een van die hon-den bleef me maar likken.' De woorden smaken smerig en hij loopt naar de badkamer.

Hij bergt het rolletje bankbiljetten op bij zijn scheer-spullen, gooit de kleren die op de grond liggen op een stapel en neemt zich voor zo snel mogelijk de was te doen. Hij zet de douche aan; zoals altijd duurt het even voordat het water warm is, maar vandaag lijkt het wel of het niet warm genoeg wordt. Heet moet het worden. Gloeiend.

De avond verliep helemaal niet goed. Hij kreeg een raar gevoel toen hij de man zag – in de vijftig, klein, een glimmend kaal hoofd en een dikke buik, metalen brilletje en vadsige bleke handen en onderarmen, bedekt met zwarte haren. Graham was geneigd te vertrekken, maar The Silent Owl was zogoed als leeg en de man had hem direct ontdekt en een glimlach toegeworpen die zowel ontwapenend als verontrustend was. En Graham had het geld nodig.

Praatziek. De man bleef maar kletsen tijdens de eindeloze rit naar zijn appartement. En de lange wandeling daarna. Graham knikte, keek recht voor zich uit. Geklets over het weer, de pekinees van de man en complimentjes. Een hoop hongerige complimentjes. Eenmaal binnen begroette de man eerst zijn pekinees en kleedde zich toen uit tot op een zwarte bikini, waar zijn bleke vlees aan alle kanten uitpuilde. En nog steeds hield het gepraat niet op. Wat was Graham toch lang, sexy en sterk.

Het krappe appartement rook naar vieze kleren en vieze pekinees. De lakens op het onopgemaakte bed zagen er grauw uit. Uitgetrokken kleren lagen over de vloer verspreid. De man had een sterke, onaangename geur: zweet en begeerte. En hij bleef maar praten. 'Noem me "varkentje".' Varkentje! God, nou juist dat. Het klonk niet alleen kinderachtig en vulgair, maar "várkentje" – precies zoals de kinderen Graham op school hadden genoemd, maar dan om heel andere redenen. Als je opgroeit op een varkensboerderij, die de lucht in de wijde omtrek vervuilt, leer je als kind dat je beledigingen kunt verwachten. Grahams broers genoten van de titel. De Pig Brothers, dat waren ze. Graham was er niet trots op.

'Vooruit! Zeg het dan! Ik ben je varkentje, toch?' De man was inmiddels op zijn rug gaan liggen, bikini uit.

'Varkentje, je moet je mond houden,' zei Graham, en hij probeerde als cowboy te klinken.

Maar de man gehoorzaamde niet. Hij lachte. Hij zei: 'Knor knor.'

Dus negeerde Graham hem, deed een condoom om en staarde naar de vlek op het rolgordijn tegenover hem. Hij probeerde aan andere dingen te denken – aan meisjes in tijdschriften en films, aan mensen die de hele week moeten werken – maar deze gedachten brachten hem nauwelijks *knor* in een andere toestand. Hij inventariseerde in gedachten *knor* de mannen van wie hij tot nu toe geld had gekregen en probeerde te bepalen welke het gehoorzaamst waren, het *knor* plezierigst. Hij probeerde niet te denken *knor* aan de geur van de man die in zijn lichaam kroop, maar het viel niet mee hem *knor* te negeren en met elke krijs van onder hem verslapte Graham verder en ten slotte – 'Noem me "varkentje"!' 'Bek houden, flikker!' – haalde Graham uit en sloeg de man, met de rug van zijn hand, in het gezicht.

Even was de man stil. Zijn mond open van verbazing, zijn vlezige wang rood waar Graham hem geslagen had. Graham deed een stap naar achter. Hij vroeg zich af of hij zijn excuses moest aanbieden, of hij nog wel betaald zou worden, of hij het op een lopen moest zetten. En op dat moment schoot het warme vocht tegen zijn wang. Het sproeide over de lakens. Het landde op Grahams overhemd dat aan het hoofdeind hing. Het kwam overal. En voordat Graham de badkamer had bereikt, voelde hij een druppel langs zijn wang lopen en op zijn borst vallen.

'O ja,' riep de man schril.

Graham aarzelde bij de aanblik van de vochtige, gekreukelde handdoek, gebruikte hem toen toch maar om zijn gezicht, borst en overhemd af te vegen. De geur van bederf en vocht vermengde zich met die van ammoniak, en net toen hij zich afvroeg of dit werkelijk zijn leven kon zijn, zag Graham in de spiegel de man achter zich en wist hij het weer. De man werkte op het New England Conservatory. Hij doceerde zang, voornamelijk tenoren. Hij had nooit lesgegeven aan Delia, voor zover Graham wist, en Graham zelf had zeker nooit lessen bij hem gevolgd, maar die hongerige ogen had hij eerder gezien in de gangen, in de kantine.

Hij moest in de zitkamer wachten op z'n geld. De man ging naar de badkamer en waste het zweet van zijn gezicht en praatte tegen zijn pekinees en vertelde Graham hoe geil hij hem vond, en na wat als uren voelde, kwam de man pas terug en viste uit zijn broekzak een stapeltje verfrommelde briefjes van tien en twintig. Het tellen duurde lang, maar Graham was niet in een positie om te klagen. Hij dacht aan aids en schaamluis en alle andere ziekten die de man wellicht had. Het woord 'schimmel' schoot hem opeens te binnen. Dit was typisch iemand om last van schimmel te hebben.

Uiteindelijk overhandigde de man het stapeltje biljetten aan Graham. 'Het is iets minder dan tweehonderd dollar,' zei hij, 'maar ik weet ook niet of jij echt voor de volle tweehonderd dollar hebt gepresteerd, toch?'

Graham kon hem niet aankijken. Hij wilde bijna de biljetten – klam van wat hopelijk slechts zweet was – niet aannemen, maar hij had ze nodig. Dus pakte hij het geld aan, schoof het in z'n zak en liep zo vlug als hij kon naar de deur zonder te gaan rennen. Hij deed of hij de vraag van de man over een nieuwe afspraak niet hoorde.

Zelfs met twee keer spoelen lijkt hij de nacht niet uit zijn haren te krijgen, waarop Graham nog een nieuwe portie shampoo in zijn haar werkt. Snel gaat hij nogmaals met de washand over elke centimeter van zijn lichaam. Zo meteen is het lauwe water op en regent het ijs uit de sproeikop. En zo meteen moet hij terug naar Delia. Ze zal nog steeds op dezelfde plek zitten, met een sprankje nieuwsgierigheid in haar verder lege ogen.

Nadat hij zich heeft afgedroogd, trekt Graham een boxershort aan en waagt een paar stappen de zitkamer in. 'Kom je naar bed?' vraagt hij.

'Straks,' zegt ze zonder om te kijken.

Hij wil haar vasthouden, zich om haar heen wikkelen, haar laten zien hoeveel hij van haar houdt. Hij wil in haar zijn, en hij wil dat zij hem ook wil. Maar het is nog te vroeg. Ze heeft tijd nodig. Hij zou eigenlijk naar de dokter moeten gaan, zich laten onderzoeken. Dan komt alles weer goed.

Graham draait zich om in de richting van de slaapkamer, maar beent dan terug en gaat naast de televisie staan. 'Wil je dat we naar het strand rijden of zo, als dit allemaal achter de rug is? Gewoon even de stad uit, even weg van alles?'

Delia haalt haar schouders op en draait zich naar hem toe. 'Misschien,' zegt ze, waarbij haar blik net onder zijn ogen valt. 'We zien wel. Ik wil gewoon morgen zien door te komen.'

'Oké,' zegt hij, en hij druipt af naar de slaapkamer. De luchtstroom van zijn beweging doet een koude rilling over zijn borst gaan. Het zal niet meevallen de slaap te vatten.

Daniel

De rode bakstenen kerk in Winchester heeft iets weg van de kerk waar je ouders je vroeger elke Pasen en Kerstmis en een enkele pre- en postgokzondag mee naartoe sleepten. Het gebouw is minstens tweehonderd jaar oud, net als de kussens in de kerkbanken, wat comfort betreft in elk geval. Daarnet hoorde je het gekras van de auteur, maar nu is het lastig te horen boven het geluid van de regen die tegen de gebrandschilderde vensters slaat. Het potlood krabbelt waarschijnlijk nog steeds bij je in de buurt, hoewel je het wat smakeloos vindt dat de auteur besloten heeft deze scène te schrijven.

Meer dan zeventig rouwenden schuifelen de kerkbanken in en uit. Bijna iedereen draagt zwarte kleding van kostbaar ogende stoffen en ontwerpen. Rissen breedgeschouderde mannen met grijs haar, vrouwen die vijftig proberen te lijken en goed verzorgde jonge stellen. Delia zit in elkaar gezakt op de tweede rij naast Graham en een hoop mensen die je nog nooit hebt gezien. Ze heeft je zien aankomen, maar zich daarna niet meer omgedraaid. Ze kijkt alleen maar star voor zich uit of omlaag. Monty loopt met een gewichtige blik op en neer over het middenpad. Jon heb je niet gezien.

Niemand heeft natuurlijk zin om naar een begrafenis te gaan. Niemand heeft zin om naar de kerk te gaan. Vroeger liet je dat je ouders wel weten – jullie waren nou niet bepaald een godsdienstig gezin – maar zij zeiden altijd dat of Jezus of een geluksster het gezin behoedde. En omdat uiteindelijk altijd alles goed leek te komen, konden ze het niet riskeren een van de twee te laten schieten. Je begon uit principe thuis te blijven, al is de muziek op hoogtijdagen meestal goed. Een koor is hier niet te bekennen en de orgelmuziek is zo 'kalmerend' dat de aanhalingstekens bijna tastbaar zijn. Waarom is de auteur hierin geïnteresseerd? Een begrafenis is toch zo'n onvermijdelijk doorsneeritueel dat iedereen met plezier zou overslaan? Een horde die je moet nemen voordat je verder kunt met je leven. Jij moet het uitzitten, Graham en Monty ook, maar waarom zouden de lezers aan deze ellende onderworpen moeten worden? 'Sla maar vijf bladzijden over,' wil je fluisteren. Je zegt de woorden zonder geluid.

Dan begint de dienst eindelijk met alle toeters en bellen, en alle efficiëntie van het katholicisme. Een beetje Latijn, opstaan, knielen, zitten en twintig minuten later staat een van de studiemakkers van meneer Benson voorin te vertellen wat een geestig en barmhartig man het toch was: studentengeintjes met scheetkussens, Kamer van Koophandel en United Way, studiefonds op zijn universiteit, geweldige echtgenoot, geweldige vader. Je kunt Delia's gesnik van twintig rijen voor je horen, althans dat denk je. Er wordt een hoop gesnotterd. Veel naar zakdoekjes gezocht in tasjes. Er zit maar één iemand naast je, een man van meneer Bensons leeftijd, van top tot teen in marinetenue. Zijn lip lijkt te trillen, maar dat kan ook door het gedimde licht komen.

Na de eerste lofrede stapt een verzorgde jongeman in een

zwart pak de kansel op en begint met bewonderenswaardige zelfbeheersing te vertellen over zijn vader. Zijn váder? Toen we nog jong waren, zegt hij. Dus Delia heeft een broer. Broertje. Van twintig misschien. Ze heeft hem nog nooit genoemd, wat wel vreemd is. Maar hij vertelt over familie-uitjes naar Londen en Brussel, met z'n allen Kerstmis vieren. Hij zegt dat hij zichzelf niet beschouwt als ongelukkig omdat hij beide ouders heeft verloren, maar als gelukkig omdat hij ze heeft gehad. Tranen wellen op in je ogen en je hoort jezelf een paar keer sniffen. Het is een ontroerende scène, echt waar. Een tikje sentimenteel misschien, maar toch... Je wilt de jongen de hand schudden. Je wilt je verontschuldigingen aanbieden. Maar nee, het was niet jouw idee. En daarnaast zou deze goede echtgenoot en vader jou zonder waarschuwing hebben neergeschoten als je hem de kans had gegeven. Dan was dit jouw begrafenis geweest.

Nee, die van jou zou niet zo drukbezocht zijn.

De regen stopt op tijd voor de teraardebestelling, die kort is – veel korter dan de rit vanaf de kerk of de rit erna naar het huis van de tante. Je rijdt alleen en moet twee blokken verderop parkeren. Het huis is een groot koloniaal geval met naast de vestibule twee zitkamers met oude banken en stoelen met harde rugleuningen, die er niet veel comfortabeler uitzien dan de kerkbanken. Pas tegen de tijd dat je vooraan de lange condoleancerij staat, besef je dat je dezelfde schoenen draagt als toen je hem doodschoot.

'Het spijt me,' zeg je tegen de broer, die jou ferm de hand schudt. Tegen Delia weet je niets te zeggen. Ze ziet er zo verloren uit. Je omhelst haar en ze fluistert: 'Dank je voor je komst,' zoals ze ook al zei tegen de vrouw voor je en ook weer tegen de persoon na je. Je schuifelt door een menigte van meelevend gemompel. 'Zo vreselijk.' 'Tragisch.' 'Te jong.'

'Als twee druppels water,' zegt een bekende stem na een paar minuten. Het is Jon, die in een van de zitkamers ongemerkt op je af is komen lopen. Je beseft dat je hebt staan staren naar de condoleancerij, naar de broer om precies te zijn. En ja, nu Jon het zegt, de donkere ogen zijn hetzelfde, de neus, de kleur van zijn gezicht, de lengte. 'Charlie is de corpsbalvariant,' vult Jon aan, 'maar dan met natuurlijk haar.'

'Verft Delia het dan?' vraag je verbaasd.

Jon slaat zijn ogen ten hemel. 'Ik hoop dat dit een geintje is. Die kleur zwart komt in de natuur echt niet voor.'

Charlies haar is een warm chocoladebruin en je probeert de kleur over te brengen naar Delia's krullen, maar zonder veel succes. 'Hij heeft heel mooi gesproken bij de begrafenis,' zeg je. 'Heb je hem gehoord?'

'Nee, ik ga nooit naar begrafenissen. Dan word ik helemaal gek en niemand heeft er iets aan. Ik beschik niet over het vermogen de doden weer tot leven te wekken of zo.'

'Ik wist niet dat Delia een broer had,' zeg je als Monty net komt aanlopen. 'Kunnen ze het goed met elkaar vinden?'

'Ja zeker,' zegt Monty. 'Hij zit nu op Stanford, maar toen hij nog op school zat, kwam hij altijd naar haar concerten. Ze bellen elkaar zo'n beetje wekelijks.'

Terwijl je daar tussen Jon en Monty staat, zie je dat Charlie net een kruising van de twee is: hij heeft het knappe uiterlijk en de zelfverzekerde houding van Jon, en wekt een indruk van welgesteldheid en goede komaf zoals Monty dat ook graag doet, maar Delia niet.

De stilte groeit terwijl jullie met z'n drieën staan te kijken naar de condoleancerij, waar geen eind aan lijkt te komen. 'En hoe houdt ze zich?' vraagt Jon na een tijdje. 'Ik heb haar nog niet echt gesproken.'

'Da's moeilijk te zeggen,' zegt Monty terwijl hij z'n schouders optrekt. 'Krankzinnig om beide ouders zo jong te verliezen – en dat hij dan ook nog is vermoord, in het huis waarin zij is opgegroeid. Dat is heel wat om te verstouwen.'

Niet jouw fout, help je jezelf herinneren. Niet jouw plan. 'Heeft de politie al aanknopingspunten?' vraag je.

'Ik heb er nog niets over gehoord,' zegt Monty, 'maar ik weet niet meer dan wat ze op het nieuws vertellen.'

Dan kijken jullie weer met z'n drieën naar de rij, en uiteindelijk knijpt Jon ertussenuit en daarna Monty. Jij blijft nog even, hoort flarden van gesprekken over hoe treurig het allemaal is, hoe dapper de kinderen zijn, hoe rijk ze binnenkort zullen zijn.

En het is raar om degene te zijn die daarvoor verantwoordelijk is, terwijl je daar in je eentje onopgemerkt achter in de kamer staat te kijken naar de consequenties en nipt van hun wijn en blokjes kaas eet van het familieservies dat meneer Benson moet hebben gebruikt. Je staat jezelf nog een keer toe je af te vragen of de politie jou op de een of andere manier in verband zou kunnen brengen met de schietpartij. Maar nee, alleen iemand die dit boek leest, zou mogelijk een verband kunnen zien. Je bent bevriend met Delia. Je hebt een baan. Er zijn meer dan genoeg criminelen in Boston.

Er gaat een onverklaarbare siddering door je lichaam. 'Wat vertel je nu op dit moment?' zou je de auteur willen vragen. Het verdriet in de kamer is zichtbaar. Delia's verdriet, dieper dan je had verwacht, is tijdelijk zoals elke hevige emotie. Dit alles zou een esthetische waarde kunnen hebben, afhankelijk van hoe de scène is geschreven. Misschien wil de auteur de lezer dat wel laten zien.

Jon

'De politie is vandaag weer langsgekomen om met me te praten,' zegt Graham zodra Jon zich door The Silent Owl een weg naar achter heeft kunnen banen. 'Dit is al de derde keer.'

Jon wist dat het geen gezellig bezoekje zou worden, maar een vriendelijk hallo of fijn-dat-je-er-bent zou leuk zijn geweest. Graham ziet er belabberd uit – hij heeft dikke wallen onder z'n ogen, het lijkt of zijn overhemd tien jaar in een prop heeft gelegen, zijn haar moet nodig geknipt en z'n gympen zitten onder de as. Jon gaat zitten in een luie stoel waarvan de helft van de vulling er al uit is – nu liefdeloos gerepareerd met tape – en vraagt een serveerster die langsloopt om een kop koffie voordat hij reageert. 'Beschuldigen ze je ergens van?' vraagt hij zachtjes.

'Nee. Maar ik denk dat ze graag een manier zouden vinden om mij de schuld te kunnen geven.'

Het verbaast hem niet. Maar Jon knikt alleen. Hij kan wachten. Laat Graham er maar mee komen.

'Ik weet niet of zij weten van... je weet wel.'

Daar gaan we dan. Jon bestudeert de vloer. 'Wat zeg je tegen ze?' vraagt hij.

'Zo min mogelijk,' grinnikt Graham.

'En wat zeg je tegen Delia?'

Graham slaat zijn ogen neer.

Dan maar kwaadschiks. 'Lul niet,' mompelt Jon. 'Ik heb je advertentie weer zien langskomen. De week van de begrafenis nog wel. Weet Delia ervan?'

Graham neemt een laatste haal van zijn sigaret, drukt dan de peuk uit in de asbak. 'Het is tijdelijk.'

'Moet ik dat als een "nee" opvatten?'

De serveerster onderbreekt ze met Jons koffie, en Graham pakt een nieuwe sigaret uit z'n borstzak, die hij pas met de derde lucifer aan krijgt.

'Verdomme,' zegt Jon, waarbij hij probeert zijn woede in te tomen tot gefluister. 'Wil je haar dan echt zo graag een geslachtsziekte geven? Zin in herpes? Ik zou willen dreigen het haar zelf te vertellen – maar voor het geval het je ontgaan is, haar vader is net doodgeschoten – en zo gemeen ben ik niet.'

'Luister, ik wil ook stoppen.'

'Stop dan.'

'Dat kan ik niet.'

'Want...?'

Graham zucht en slaat de rest van zijn bloody mary achterover. 'We zijn zogoed als blut,' zegt hij. 'Ik weet dat ze uiteindelijk wel wat erft, maar op het moment – ik heb niet veel gewerkt en nu gaat zij ook niet meer naar kantoor. Man, ik zou blij voor haar zijn als ze die baan opgeeft. Ik hou mezelf steeds voor dat ik dit moet zien vol te houden zodat we de rekeningen kunnen betalen totdat het geld komt. Snap je?'

'Niet echt,' zegt Jon. Grahams adem is dodelijk van de rook en de wodka. Het is een wonder dat iemand hem wil betalen. 'Er zijn ook andere banen, weet je,' voegt Jon daaraan toe.

'Dat weet ik.'

'En kun je het de politie echt kwalijk nemen dat ze het onbetrouwbare, hoererende vriendje zonder centen aan de tand voelen? Zo'n rare gedachtekronkel is dat niet.'

'Jezus, ik heb niet...'

'Natuurlijk heb je dat niet. Ik zeg alleen dat als de politie je op de huid zit dit misschien een teken van hogerhand is dat je een andere kant op moet.'

Graham hoest in zijn hand. 'Zou kunnen. Maar ik denk dat ik me ga beperken tot een paar vaste klanten die ik kan vertrouwen. Of ik nou vandaag of over pakweg twee maanden stop, maakt niet zo gek veel uit.'

Jon kijkt op zijn horloge. Over een half uur heeft hij een eetafspraak met Mark. Wat een verademing zal dat zijn. Drie etentjes in drie weken – een soort van record. Praktisch getrouwd.

Een minuut later vraagt Jon: 'Hoe is het met Delia?'

'Top,' antwoordt Graham. 'Ze gaat vanavond uit eten met Daniel. Interessant, hè?'

Wat is het nog een kind. Soms wordt Jon zich van zijn leeftijd bewust als hij met Graham is.

'Ik weet zeker dat hij iets voor haar voelt,' gaat Graham verder. 'Denk je niet?'

Jon meet zijn woorden af. Natuurlijk is het bij hem opgekomen. Hij weet dat ze onlangs een nacht bij Daniel heeft doorgebracht; ze had Jon gevraagd haar een alibi te geven. Maar ze had volgehouden dat er niets was gebeurd en Jon is geneigd haar te geloven. Hoe het ook zij, één ding is zeker: die Daniel is een aanpakker. Jon ziet hem er nog voor aan zelf een geheim onderzoek te starten en de moordenaar op te sporen. Hij ziet al helemaal voor zich hoe Daniel met een ongemakkelijk lachje de misdadiger overhandigt – geboeid en gekneveld. Jon zegt rustig: 'Hij weet dat jullie samen zijn.'

'Ja, maar ik vertrouw hem niet,' zegt Graham. 'Jij wel?'

'Sorry, ik was even afgeleid door je aureool. Wat deed jij nou ook alweer?'

'Kun je gewoon de vraag beantwoorden?'

Jon kijkt nogmaals op zijn horloge. Het is tijd om te gaan. 'Onder de gegeven omstandigheden,' zegt hij, 'kun je Daniel er moeilijk op aanspreken dat hij met haar uit eten gaat.'

Delia

Giorgio's vingers duwen stevig in haar onderrug, en het voelt zo fijn dat ze zich bijna schuldig voelt. Mag ze wel zo genieten na wat er is gebeurd? Delia neemt meestal een massage van veertig minuten, maar vandaag heeft ze voor de volle negentig minuten betaald. Hij heeft in alle rust de knopen uit haar nek en schouders gemasseerd en werkt nu stukje bij beetje haar rug af.

De uitvaartdienst is eindelijk achter de rug. En de begrafenis. De familie is weer haar eigen weg gegaan. Charlie had aangeboden om te blijven helpen, maar zij had erop gestaan dat hij terugging naar Californië. Hij zit midden in een zomerstage, en daarna begint zijn semester en kan hij zich storten op z'n voetbaltrainingen. Hij is niet veel ouder dan zij was toen hun moeder overleed. Als er ooit een moment is om de zorgzame grote zus te spelen...

Dus heeft ze gezegd dat zij het zou regelen – de advocaten, het huis, de politie. De eerste golf van drukte lijkt voorbij, toch heeft vanmorgen weer een of andere rechercheur met Graham gesproken. Zo zonde van de tijd. Als het geen inbreker was, is het waarschijnlijk een of andere sweatshopslaaf of oud-werknemer geweest die door haar vader werd verneukt. Er zijn meer dan genoeg kandidaten. Maar dat wil niemand horen, natuurlijk.

Iedereen wil horen hoe het met haar gaat en wat ze uitspookt. Bij haar vrouwelijke collega's lijkt het wel een wedstrijd wie de condoleancekaart met de grootste bloemenprent of de meest aangrijpende gekalligrafeerde tekst stuurt. We voelen je pijn, schrijven ze. We zouden alles voor je doen – waarbij ze 'alles' onderstrepen. Wij van de McKlein Lupus Foundation weten wat meeleven is. Kijk maar. Wij leven al jaren mee. Je kunt áltijd bellen.

Met de familieleden van buiten de stad en de familie- en schoolvrienden gaat het van wat-spook-je-uit? Wat doe je tegenwoordig? Heb je binnenkort nog grote optredens? Heb je nog een optreden moeten afzeggen voor de begrafenis? Delia heeft vanzelfsprekend niet eens een afspraak bij het Methodist Home hoeven afzeggen. Ze had meerdere malen de neiging gewoon maar toe te geven dat ze haar jeugd heeft vergooid. Maar ook dat wil niemand horen.

Giorgio schuift het laken opzij en beweegt zijn handen verder naar beneden. Hij zal eerst met de spieren in haar rechterbeen aan de slag gaan, plekjes vinden waarvan ze niet eens wist dat ze gespannen waren en de pijn wegkneden. Zijn handen zijn altijd krachtig maar zacht, en hij ruikt naar eucalyptus, en de ontspanning die hij bij haar teweegbrengt, is soms bijna opwindend. Misschien zelfs wel echt opwindend. Toen Delia jaren geleden Giorgio voor het eerst ontdekte, grapten zij en Jon dat een goede massage een geoorloofde vorm van overspel was. Door wat Graham doet, is die grap nu natuurlijk een stuk minder geestig.

Een golf van spanning gaat door haar lichaam. Giorgio moet dat voelen, want zijn bewegingen worden krachtiger. Delia heeft Graham het weekend van de begrafenis voornamelijk op afstand gehouden, en ergens voelt ze zich er slecht onder; maar hij past niet goed bij haar familie, en daarnaast is hij ook zo onvoorspelbaar. Bij Monty kan ze er altijd op rekenen dat hij ervoor zorgt dat alles gebeurt wat moet gebeuren. Zo is Graham niet. Graham is... Tsja, het is moeilijk te zeggen wat hij tegenwoordig is.

Giorgio gaat nu over op haar linkerbeen, en zijn handen zeggen dat ze zich moet overgeven. Toen Delia bij het *wellness*-centrum aankwam, had hij haar begripvol omhelsd maar de woorden van medeleven bespaard. Hij heeft andere manieren om te zorgen dat ze zich beter voelt en daarom is ze hier. Ze moet hem voor haar laten zorgen. Dat zal ze doen. Ze zal zich overgeven aan de beleving. De geur van eucalyptus en het geluid van ruisend water en het gevoel van zijn vingers op haar lichaam gaan geleidelijk in elkaar over. Er zit ritme in de bewegingen, het geluid en de loomheid van haar lichaam, en ze slaapt en waakt tegelijkertijd, en al snel is er alleen nog het stromende water en zijn eucalyptushanden die haar masseren.

Als het geluid van water stopt, waarmee het einde van haar sessie wordt aangegeven, keert ze terug tot zichzelf. Het duurt even. Ze bloost als ze opkijkt. Giorgio loopt de kamer uit zodat ze zich kan aankleden, maar voordat hij weg is, vangt ze zijn blik en werpt hij haar een geruststellende glimlach toe. Hij is Italiaans en heeft donkerbruin haar en een olijfkleurige huid. Gemiddelde lengte, een stuk korter dan Graham, en een lichaam dat gedrongen maar gespierd is, zoals dat van Daniel. Hij is leuk om te zien, maar na een massage vindt ze hem altijd extra knap. Vandaag vormt daarop geen uitzondering.

Harvard Square is schel en lawaaierig na de rust van het *wellness*-centrum, en het is zo jammer om weer terug te moeten naar de realiteit. Langzaam loopt Delia naar het metrostation en ze gaat de roltrap af naar beneden. Bijna direct verschijnt de metro, die haar vliegensvlug terugbrengt naar haar appartement en haar leven. De post is er vast al. Kaarten en brieven. Ze kan zich niet goed voorstellen hoe het moet met de bedankbriefjes die ze zal moeten schrijven – voor de bloemen, het aardige briefje, de donatie ter ere van haar overleden vader. Hoe krijgt ze die woorden op papier? Hoe moet ze weer terug naar kantoor en die nieuwsgierige, meelevende gezichten onder ogen komen? Hoe kan ze dat huis nog binnengaan? 'Als je maar gelooft dat je iets kunt, kun je het ook,' zei haar moeder altijd. En dat werkte zowaar voor wiskunde-examens en toneelaudities op school, maar geldt dat ook voor volwassen dingen?

Goed, vandaag hoeft ze geen beslissingen te nemen. Ze zal een blik op de post werpen en de televisie aanzetten, en dan wordt het donker en heeft ze met Daniel afgesproken. Ze stond eigenlijk verbaasd van zichzelf dat ze instemde om met hem uit eten te gaan. De meeste telefoontjes heeft ze niet beantwoord; de meeste uitnodigingen klinken niet aantrekkelijk. Maar hij is gemakkelijk in de omgang, om mee te praten. Ondanks alles wat er is gebeurd, is er bij hem geen stil verwijt. Dat is verfrissend.

Davis Square is maar twee haltes, en als Delia uitstapt, staat Broadway Lady haar op te wachten. De meeste mensen zijn op hun werk – het is even na drieën – en dus staat ze voor een lege zaal te zingen. Alleen wat studenten en gepensioneerden lopen langs, een jonge moeder met kinderen, en Delia. Ze blijft staan om te luisteren. '*I get ill...*' zingt Broadway Lady met haar luide sopraanstem. De woorden die volgen, zijn niet te verstaan. Dan iets over *paws* en *silky*. '*Would you PULL...*' gilt ze.

Ze zingt '*Look At Me, I'm Sandra Dee*' uit *Grease*.

Wat betekent dat?

Waarom zou het iets moeten betekenen?

Delia wroet in haar tas en vindt een biljet van een dollar en dan nog een. Langzaam loopt ze naar Broadway Lady, die achterin op een bank tegen de muur staat. Vóór haar staat een kartonnen doos met een handjevol munten erin. Wie is toch deze vrouw onder al dat roze haar? Van dichtbij is ze niet zo stokoud als Delia en Graham altijd dachten. Ze ziet er verweerd uit, absoluut, maar waarschijnlijk is ze ergens in de veertig of vijftig. De vrouw lacht als Delia de bankbiljetten in de doos laat vallen, maar ze stopt niet met zingen. Ook niet als Delia de trap oploopt en het station tijdelijk leeg achterlaat.

Gelooft niet ieder meisje dat ze later een ster kan worden, denkt Delia. Een zangeres, actrice of ballerina. Als ze het station uitkomt, gaat Delia naar links en ze steekt dan de straat over. Misschien had het gescheeld als ze niet telkens zulke hoge verwachtingen had gehad. Wat als dat het echte probleem is? Misschien staat ze binnen twintig of dertig jaar zelf met een pruik op te zingen op een metrostation. Ter vermaak van de jonge garde die zich heel wat inbeeldt maar uiteindelijk niets indrukwekkenders met z'n eigen leven zal doen.

Daniel

Het gaat erom haar de positieve kant te laten zien.

Nee, het gaat erom haar te laten zien dat dit een kans is. Of misschien dat jij een kans bent. Of alles.

Verdomme, het valt niet mee om te denken. Je krijgt niet genoeg slaap. Eet je wel goed? Je kunt het je niet goed herinneren.

Je hebt met Delia afgesproken in een nieuw Chinees-Indisch fusionrestaurant op Central Square, maar nu dreig je te laat te komen doordat je geen parkeerplek kunt vinden. Het lijkt wel of de hele stad tegelijk heeft besloten op Central Square neer te strijken. Dus rijd je in steeds grotere cirkels, en al twee keer is een auto uit een plek achter je weggereden toen het al te laat was om nog achteruit te rijden en hem in te pikken. Waarschijnlijk is ze er al. Misschien is ze alweer weg.

'Ik wil verdomme parkeren!' roep je.

Het gekras was zomaar ineens begonnen. Als jij nou dit boek zou schrijven, zou je precies nu een parkeerplek tevoorschijn toveren, want hoeveel tijd moet er worden verdaan met rondrijden? De lezer zit te wachten op jouw aankomst in het restaurant en met elke minuut die verstrijkt, kom je later op wat een memorabele afspraak zou kunnen zijn.

Ze heeft ingestemd met een eetafspraak. Zou je dan nu

niet mínder nerveus moeten zijn? Maar het maakt niet echt uit, toch? Want wat je ook zou moeten voelen, je hart bonkt en je nek doet pijn van de spanning. Hoe zal het gesprek lopen? Voelt ze iets voor jou? Ze moet wel iets voor je voelen. Misschien stelt ze wel voor er samen vandoor te gaan. Jullie zouden vanavond nog kunnen vertrekken. Maar jullie hebben geen geld. Niet veel althans. Jullie zouden een van de juwelen kunnen verpanden.

Oké, hoe stom kun je zijn?

'Kan er nu een parkeerplek vrijkomen?' schreeuw je.

De auto voor je kruipt tergend langzaam vooruit. Je ziet de bestuurder niet eens zitten. Vergeet de auteur soms mensen neer te zetten op plaatsen waar ze horen te zijn? Dat zou komisch zijn. Niet hilarisch komisch, maar best komisch. Je drukt hard op de toeter. Er verschijnt een geheven vingertje vanachter de bestuurdersplaats. Misschien is het een peuter. Bij de volgende hoek sla je af.

Met of zonder hulp van de auteur – en je bent geneigd te denken zónder – vind je een plek langs Mass. Ave., zo'n acht blokken van het restaurant. Je kunt snel lopen. Of misschien moet je maar rennen. Je kunt snel rennen. Nee, dan ga je misschien zweten. Je bent al een beetje aan het zweten. En als ze je buiten zou zien, rennend, zou dat echt sneu zijn.

Het is vrijdagavond en terwijl je door de straat snelt, lijkt het of bij elke deuropening goed geklede jonge stellen naar binnen en buiten dwarrelen. Je zwarte broek en blauwe katoenen sweater zien er ineens goedkoop uit, en volstrekt ongepast voor een avondje uit. Dit moet doorgaan voor een best hip restaurant, waar je gezien moet worden. Je zult opvallen in deze oude blauwe sweater.

Hij is niet oud, houd je jezelf voor. Hij is gewoon. Eenvoudig. Niet erg trendy. Maar wel flatteus? Nee, het is een gewone oude sweater, slechtzittend, saai. Er zitten wat pluisjes op van het wassen. Je rukt hem uit en smijt hem in een vuilnisbak op de stoep. Het is juli. Je hebt geen sweater nodig. Al kan het vanavond niet veel meer dan vijftien graden zijn. Maar dat maakt niet uit, je ziet er nu beter uit. Het zwarte T-shirt wijkt een paar tinten af van de broek, maar binnen valt dat niemand op. Je ziet er gewoon eenkleurig uit. Met zwart zit je altijd goed. Dit is beter. Dit is prima. Je loopt door.

Gaat Delia met jou eindigen? Het slot van het boek hangt van deze vraag af: gaat ze voor Graham kiezen en het leven dat ze leidt of voor jou en het leven dat ze wil leiden? Nogal logisch dat je nerveus bent. Het is ook zeer enerverend. Je hyperventileert zowat. Medisch gezien niet, maar toch...

Je blijft staan, leunt met je rug tegen de blinde bakstenen muur van een schoenenwinkel, terwijl je langzaam inademt. Uitademt. Inademt. Uitademt. Een man stopt om te vragen of het wel gaat, maar je jaagt hem weg. Het maakt je niet uit wat hij denkt. Hij doet er niet toe. Niet meer dan opvulling, onbeduidend.

Het ademen helpt – interessant, want je geloofde nooit dat dat gedoe met gecontroleerd ademhalen echt werkte – dus haast je je verder. Nog vijf blokken. Het komt allemaal goed. Laat je nou maar gewoon door haar leiden. Niet te hard van stapel lopen. Maar ook weer niet te langzaam. Of te zacht, liever gezegd. Zei Corrone niet dat subtiel niet altijd de beste manier is?

Het gaat erom dat zij jou als een kans ziet.

Maar je wilt het echt weten. De auteur heeft dit allemaal al uitgedacht en je zou het er een stuk beter van afbrengen als je zeker wist wat er ging gebeuren. 'Eindigen we samen?' vraag je aan het stoplicht, de winkelpuien, de auteur. Een langslopende vrouw kijkt je vreemd aan. Dan fluister je: 'Als het licht binnen vijf seconden op groen springt, heeft Delia gevoelens voor mij. Oké? Laat het me nou weten.'

En dan springt het licht op groen. Je steekt over, opgewonden maar nerveus. Misschien probeert de auteur je in verwarring te brengen. Misschien sprong het licht toevallig op groen. Het moet op groen springen. En is het gekras nog steeds bij je? Je legt je handen op je oren om het geronk van de auto's en het geklets van de voetgangers buiten te sluiten. Het is moeilijk te zeggen, dus duik je een café binnen, maar daar wordt heavy metal gedraaid. Mensen kunnen elkaar waarschijnlijk niet eens horen praten. En al heb je er de pest in dat je straks nog later bent, een paar seconden kan geen kwaad. Dus glip je de apotheek ernaast binnen. Hier is het een stuk stiller en als de deurbel stopt met klingelen, hoor je duidelijk het potloodgekras.

Dus dit gaat een belangrijke scène worden. 'En ze eindigt met mij?' fluister je. Welk antwoord verwacht je? Je weet het niet. Zo ja, dan gaat de deur binnen vijf seconden open. Vijf, vier, drie, twee, een. Deur gaat open, ouder echtpaar komt binnen.

Wow. Best lastig om op de tekens te vertrouwen, maar twee van de twee is niet slecht. Je loopt langs het oudere echtpaar weer naar buiten. Nog drie blokken. En alles zou kunnen leiden naar het slot dat jij wilt. Wat ook het slot is dat de lezer wil. 'Geef ze wat ze willen,' zegt Corrone. Natuurlijk moet de jongen het meisje krijgen. Je maakt je de hele tijd zorgen dat het misschien niet gaat gebeuren, maar dan op het laatste moment gebeurt het toch. De auteur hoeft alleen maar de lezer te tarten, de personages te tarten, en het dan af te maken. Het is als Corrones *Island of No Tomorrows*. Tegen het slot heeft het er alle schijn van dat de held onthoofd gaat worden door de eilandbewoners, maar dan blijkt het bewusteloze meisje dat van de brug is gegooid in werkelijkheid de Sloveense spionne te zijn met wie hij halverwege het boek het bed heeft gedeeld. Je kon uit de beschrijving van hun liefdesspel afleiden dat ze perfect bij elkaar zouden passen, en kijk aan, eind goed, al goed.

'Vooruit, nog een keer,' fluister je. Als er iemand dat gebouw op de hoek uitloopt voordat jij erlangs bent, is ze verliefd op je. Je haast je naar het eind van het blok, vertraagt dan je pas voor het geval het gehaast de voorspelling beïnvloedt. Maar het blok lijkt zo lang, het antwoord zo dichtbij, dat je opnieuw je pas versnelt, je een weg zoekt door de groep die het café uitstroomt, langs een telefonerende man die doelloos loopt te ijsberen voor een restaurant. En net voordat je de hoek hebt bereikt, gaat de deur open. Een moment blijft de deur openstaan en dan komt een man in een rolstoel de stoep op rijden. Geldt dat ook? 'Neem je me soms in de zeik?' schreeuw je bijna. Je draait je om en wilt tegen een muur schoppen, maar houdt jezelf dan tegen voordat je een voet tegen het baksteen beukt. 'Laat het gewoon gebeuren,' fluister je tegen de muur. 'Laat haar van mij houden. Ik heb je nog nooit gevraagd iets voor me te doen, maar nu wil ik dat je dit doet. Oké?' Je wendt je van de muur af en loopt weg. 'Oké?'

'Oké,' zegt een viezige man naast je. Hij stinkt naar rook en drank, en toch, het voelt als een teken. Ergens. Het is zo moeilijk om het zeker te weten. Je hebt het nu een beetje koud. Nog één blok te gaan. Je had de sweater tijdens het lopen aan moeten houden.

Bij het restaurant blijf je even staan en probeer je weer tot jezelf te komen. Het gaat erom haar te laten zien dat deze kans haar vrijheid biedt. Of andersom.

Iemand giechelt. 'Wat?' zegt ze.

Het is Delia. Ze staat naast je.

'Ik, ehm... niets – ik sta gewoon over iets na te denken. Het volgende hoofdstuk...'

'Oké,' zegt ze, en ze knikt. Ze draagt een lange zwarte rok en een zwarte blouse, en al heb je die combinatie eerder gezien, vandaag heeft het meer weg van een rouwkleed dan een uniform. Ze heeft geen lippenstift op. Haar haren steken onder een bandana uit en ze is moe, maar zoals altijd beeldschoon om te zien. Haar lippen zijn ook zonder make-up nog steeds vol en rozig. 'Ik heb net gereserveerd,' zegt ze tegen je. 'Als het goed is, duurt het nog maar een paar minuten.'

Het valt niet mee om te weten hoe je om moet gaan met mensen die een vriend of familielid verloren hebben. Er zijn zo veel ongemakkelijke stiltes, zo veel hoe-gaat-het-nou's en het-dag-voor-dag-nemen's. Na een minuut of wat brengt de gastvrouw jullie naar een tafeltje achter in de hoek. De muren in het restaurant zijn knaloranje, maar de felheid wordt gecompenseerd door de gedimde verlichting. Boven jullie hoofd hangt een varen en die doet je denken aan een varen buiten bij het huis van Delia's vader, maar je zet de herinnering uit je hoofd. Jullie bestellen en ze praat over haar familie en de begrafenis. Je zegt: 'O,' 'Ja,' 'Mm mm,' en je luistert. En het gaat erom behulpzaam te zijn, rationeel te blijven, oprecht te zijn, haar niet van slag te maken.

'Je gaat niet meer terug naar de stichting, toch?' vraag je.

'Zo ver ben ik nog niet eens. Ik moet het huis afhandelen en...'

'Als je hulp wilt...'

De serveerster komt met het eten, dus wacht je terwijl ze een kleurrijk vegetarisch gerecht voor Delia neerzet en voor jou een rundvleesgerecht dat verbrand ruikt. Je kunt je niet voorstellen dat je een hap kunt eten, maar laat een schijfje champignon je keel in glijden.

'Ik heb ooit moeten helpen met het huis van mijn grootvader,' lieg je, 'dus ik help je graag...'

'Dank je. Misschien hou ik je daar wel aan. Ik zie Graham nog niet een grote hulp zijn en Charlie moest weer terug naar Californië.'

'Wanneer je maar wilt,' zeg je. Dat was goed. Wat een goede vriend zou doen. Zeg het nu gewoon. Delia plukt met haar stokjes aan de broccoli. 'Ik bedoel het niet lomp,' begin je, en dat klinkt al lomp, maar je hebt nu a gezegd, en zij luistert en kijkt naar je, dus dan moet je ook b zeggen, 'maar het lijkt me dat je wat meer vrijheid zult hebben – als alles eenmaal achter de rug is.'

'Vast wel,' zegt ze. 'Ik voel me nu zo gevangen dat het lastig is om het zo te bekijken. Als je in de twintig bent, verwacht je niet een begrafenis te moeten regelen. Mijn tante was een engel, en Monty's familie. En nu... Nou ja, door hoe het is gegaan, heb ik in elk geval geen zorgen over het al dan niet aanhouden van het huis. Dat heeft geen emotionele waarde meer.'

'Dat kan ik me voorstellen,' zeg je. 'En ik weet dat dit

een verschrikkelijke tijd moet zijn, maar het gaat ook weer voorbij. En dan heb je je hele leven voor je en de vrijheid om alles te doen wat je wilt. Alles. Even geen financiële zorgen.'

'Ja.'

'Geen banden met Boston,' waag je.

Delia kijkt op van de berg groenten voor haar. 'Hoe bedoel je?'

'Waarom zou je niet naar New York gaan?' zeg je. 'Auditie doen. Cabaretvoorstellingen. De Delia zijn die laatst Gershwin zong.'

Ze pakt een schijfje wortel en lacht voor het eerst – een seconde maar. 'Monty is er dan ook,' zegt ze.

'Precies,' zeg je. 'Dat maakt het vast gemakkelijker. En ik denk dat ik ook naar New York verhuis.'

'Echt waar?!' vraagt ze.

'Ja, echt waar,' zeg je tegen haar. Dat viel je opeens uit het niets te binnen. Jouw eigen inspiratie of die van de auteur? Misschien is daar maar weinig verschil tussen. 'Ik ben met een groot project bezig, Bank Rome, het hoofdkantoor zit in New York. En weet je, Jon is er ook om de haverklap. Het zou geweldig kunnen zijn.'

Delia zegt nu niets meer en drinkt met kleine teugjes een glas water.

'Laat me je helpen,' zeg je. 'Zo moeilijk is het niet. Dat beloof ik. Ik geloof niet dat je enig idee hebt van hoeveel talent je hebt, en nu ben je vrij.'

'Ik moet inderdaad iets doen,' zegt ze met een zucht. 'Maar ik weet niet of dit het moment is. Ik heb straks zeeën van tijd als het huis eenmaal is afgehandeld, als ik alles eenmaal op een rijtje heb.'

'Wat moet je op een rijtje hebben? Dit wil je al jaren, en nu is er niemand om je aan het twijfelen te brengen, als ik zo direct mag zijn. Je hebt geen financiële zorgen. Het gaat erom...'

Ze kijkt je aan alsof je weet wat je gaat zeggen.

'Het gaat erom... dat je het verdient om gewaardeerd te worden.'

Ze begint te huilen. Je gaat naast haar zitten en slaat een arm om haar heen. Ze huilt tegen je borst, legt haar hand achter in je nek en wrijft met een vinger op en neer langs je haarlijn. Zomaar, in het restaurant. Het scheelt weinig of je kust haar, en je voelt dat het weinig scheelt of ze kust jou. Maar het lijkt beter om te wachten. Het moment niet nog ingewikkelder te maken.

Je hebt zonder meer de juiste zin gezegd. Je kunt het applaus bijna horen.

Delia

'Ik dacht dat je zei dat het een golden retriever was?' roept Delia naar Graham door de badkamerdeur. Hij heeft de kraan aanstaan. Hufter. Hij doet alsof hij haar niet hoort, dus zegt ze het nog een keer.

De deur gaat op een kier. 'Ik zal wel aan die andere hebben gedacht,' zegt hij.

'Dus je hebt vanmorgen twéé honden uitgelaten?' vraagt ze, waarbij ze haar stem rustig en aangenaam houdt, zoals haar moeder altijd deed bij een woordenwisseling.

'Ja.'

Delia loopt naar de keuken en pakt de helft van een sandwich die in boterhampapier was gewikkeld. Terug op de bank pakt ze hem op schoot uit, trekt er een dun plakje kalkoen uit dat ze aan Myra geeft en dan een voor zichzelf. 'Nou, ik wil ze wel eens zien,' zegt ze even later. 'Ik denk dat ik vanavond met je meega.'

'Dat kan niet.' Graham loopt naar de bank en gaat voor de televisie staan. Zijn haar is geborsteld en hij draagt een schoon overhemd. 's Ochtends rolt hij alleen uit bed voordat hij op pad gaat, maar voor zijn hondenuitlaatavonden trekt hij steeds schone kleren aan.

'Waarom niet?' vraagt Delia, waarbij ze naar beneden kijkt.

'Wij mogen geen mensen mee naar binnen nemen.'

Delia likt de mayonaise van haar vingers. 'Dat maakt niet uit,' zegt ze. 'Ik kan buiten wachten terwijl jij ze haalt.'

'Ik moet ook de planten water geven en zo. Ik wil niet dat je buiten in het donker een half uur staat te wachten.'

'Da's heel attent van je,' zegt ze, waarbij ze naar hem opkijkt, 'maar ik kan een van de jongens meenemen. Als het goed is, zijn die straks bij Lilly's voor de martiniavond. We kunnen ze oppikken, dan maken we er een uitje van.'

Graham gaat naast haar zitten en rolt een sigaret op de salontafel. Ze bestudeert zijn gezicht, maar zijn ogen concentreren zich op de vloeitjes en tabak. 'Doe je het raam even open?' vraagt ze.

'Ja, sorry,' zegt hij, dan loopt hij naar het raam en steekt de sigaret aan.

'Tenzij,' voegt zij eraan toe, terwijl ze een stuk tomaat opzijlegt, 'je met "honden uitlaten" "vreemde mannen neuken voor geld" bedoelt.' Graham verslikt zich in zijn eerste trekje. 'Zou dat misschien het probleem kunnen zijn?' gaat ze verder op de zoetste toon die ze kan opbrengen.

'Waar heb je 't over?'

'Ik heb 't over gistermiddag,' snauwt ze, waarbij ze haar voornemen opgeeft om rustig en aangenaam te blijven. 'Toen je zogenaamd twee, drie, tien honden moest uitlaten, zag ik je bij dat koffietentje om de hoek zitten. Waar je vanmorgen ook zat. Grappig dat het uitlaten 's avonds zo veel meer tijd in beslag neemt.'

'Delia...'

'Ongelooflijk dat ik daarin ben getrapt. Als je thuiskomt, ruik je nooit naar hond. Myra snuffelt nooit aan je kleren, er zitten geen haren op.'

'Maar...'

'En mijn hemel, je krijgt altijd contant betaald. Hoe lang is dit al aan de gang precies? Is er überhaupt ooit een hond geweest?'

Graham schuift langzaam naar de bank maar gaat net niet zitten. Hij zuigt aan zijn sigaret en blaast de rook achter zich in de richting van het raam. 'Delia, ik wíl ook stoppen,' zegt hij tegen haar. 'Ik ben er een tijdje mee gestopt. Maar jij hebt niet meer gewerkt en...'

'Dus nu is het míjn schuld? Nu heb ík het gedaan? Nee, da's lekker.'

'Dat zei ik niet,' zegt Graham, terwijl hij weer naar het raam loopt om zijn sigaret buiten te houden. 'Ik kon geen ander werk vinden.'

'Hoe goed heb je dan gezocht?' Delia begint opnieuw in het broodje te vissen, gooit het vervolgens op de salontafel. 'En nu?' zegt ze. 'Nu maak je je opeens zo'n zorgen over geld? Papa geeft me eindelijk geld, Graham! Je droom is uitgekomen!'

Ze haat zichzelf als de woorden naar buiten komen.

'Je weet dat dat niet waar is,' mompelt hij.

'Dat weet ik,' zegt ze zachtjes.

'Ik probeerde alleen te zorgen dat we genoeg geld hadden totdat de nalatenschap is geregeld. Dat gaat wel even duren, weet je.'

'Moet ik nu dankbaar zijn?' vraagt Delia. 'Voor de leugens en het bedrog en...'

'Nee, nee, ik probeer het alleen maar uit te leggen, want... ik hou van je, en hoe slecht dit er ook uitziet voor mij, ik ben blij dat je het weet.'

'Goh,' blaast Delia, 'wat ontzettend nobel van je dat je

blij bent dat ik je op een leugen heb betrapt.' Myra verplaatst haar logge lijf moeizaam van de bank naar de tafel en Delia veegt het broodje met een zwiep van de tafel door de kamer. Graham bukt om het op te rapen, maar ze houdt hem tegen. 'Ik ruim het straks wel op.'

Toch begint hij de her en der belande stukjes bijeen te rapen.

'Ik zei dat ik het opruim!'

Graham neemt een trekje van zijn sigaret en loopt terug naar het raam. Myra staart naar het verdwaalde eten aan de andere kant van de kamer. Delia slaat een quilt om zich heen, ze weet dat Myra's lethargie zal overheersen en een moment later strekt de kat zich languit over Grahams vloeitjes op de salontafel. Dan wordt de stilte doorbroken als Graham zegt: 'Het spijt me dat ik tegen je heb gelogen. En ik stop ermee, dat beloof ik. Maar weet je... Toen we het hier een tijdje geleden voor het eerst over hadden, leek je het oké te vinden.'

Met stomheid geslagen, dat was ze geweest. Toen hij haar vertelde wat er in New Orleans was gebeurd, hoe hij zichzelf naar Boston had weten te krijgen, hoe hij het weggeredeneerd had. 'Ik heb het nooit oké gevonden, Graham.'

'Je zei dat je het begreep?'

'... Wat je op je zéstiende hebt gedaan,' zegt ze, waarbij ze haar gezicht naar hem toe draait, haar stem plotseling hees. 'We hadden het er al tig keer over gehad, maar het lukte niet om tot je door te dringen. Uiteindelijk dacht ik: oké dan maar, het ergste wat kan gebeuren, is dat je het een keer probeert en dan beseft hoe krankzinnig het is. Het was niet in me opgekomen dat je het lekker zou vinden.'

Bij wijze van uitzondering zit Graham met z'n mond vol tanden. Dan zegt hij: 'Delia, je weet dat ik geen homo ben.'

Delia zeult haar lichaam van de bank om de sandwich op te rapen en in de vuilnisbak te gooien. 'Wat moet ik dan denken?' fluistert ze. Ze knielt op de vloer, slechts een paar passen van Graham en een paar momenten van het einde van het gesprek waarvan ze niet wist dat ze het ging voeren. 'Ik hou van je, Graham. Maar je bent een zielig, beschadigd mens. En ik weet niet wat ervoor nodig is om jouw leven te herstellen. Maar ik weet wel dat deze relatie niet meer te herstellen is.'

'Dat meen je niet,' zegt hij, maar als hij een hand op haar schouder wil leggen, schudt ze hem af en gaat staan.

'Wel waar,' zegt ze, haar aarzeling wegslikkend. 'Dat meen ik wel. Ik ben te oud om maar te blijven doen alsof...'

'Nee.' Zijn stem breekt. 'Nee, luister, ik zag Broadway Lady vandaag. Ze stond weer Sondheim te zingen, 'We're Gonna Be All Right'. Ik maakte me ook zorgen over ons, maar ik denk dat we gewoon naar haar moeten luisteren en...'

'Broadway Lady is een psychisch gestoorde, aan de drugs verslaafde dakloze vrouw.'

'Nee...' Daar, naast de deur van de slaapkamer, staat hij, een boom van een vent die op het punt staat in te storten. En terwijl Delia in haar schoenen schuift en de bank af-zoekt naar haar tas, weet ze dat zijn machteloze blik haar zal blijven achtervolgen. Maar zijn laatste woorden tegen haar – 'Heeft dit soms met Daniel te maken?' – geven haar de kracht de deur uit te gaan.

Monty en Jon hebben een cosmopolitan voor haar klaarstaan als ze Lilly's binnenstapt en ze gooit het verhaal er direct uit. Ze geeft een ongecensureerd verslag van de woordenwisseling en Monty's verbijstering en afschuw zijn duidelijk van z'n gezicht af te lezen. 'Hóé zou je ooit bij hem kunnen blijven?' vraagt hij haar. 'Wist jij hiervan?' zegt hij tegen Jon.

'Lieverd, toch,' zegt Jon en hij drukt haar tegen z'n zij.

Delia neemt een slok om zich te wapenen voordat ze Monty aan kan kijken. Ze zit hier vanavond niet op te wachten. 'Hou er maar over op,' zegt ze. 'Het heeft maar een paar maanden geduurd en het is nu voorbij.'

Monty zucht theatraal en giet de rest van z'n martini in één keer achterover.

'Het komt goed met jou hoor, lieverd,' zegt Jon. 'En Graham gaat erdoorheen komen. Het is een zware tijd voor hem.'

'Tuig is het,' schreeuwt Monty bijna.

Delia staart hem aan, maar Jon en zij reageren verder niet. Even bestudeert Monty zijn lege glas, dan zegt hij: 'Je bent veel te goed voor hem. Dat weet je wel, toch?'

En ze weet dat hij haar probeert te helpen, maar de woorden klinken zo verkeerd.

'Wat denk je dat je gaat doen?' vraagt Jon.

'Nou,' zegt ze, 'Ik denk dat ik eindelijk naar New York ga. Weg van alles, opnieuw beginnen, proberen echt aan de slag te gaan met zingen.'

'Wat geweldig,' zegt Monty.

'Jij verhuist binnenkort ook naar New York,' gaat ze verder, 'en Jon, jij bent er om de haverklap. Ik kan het me nu veroorloven. Dus wat houdt me nog tegen? Precies zoals Daniel zei – waar is die trouwens?'

Eerst zeggen ze geen van beiden iets. Dan wisselen ze een blik uit waar Delia een ongemakkelijk gevoel van krijgt. Uiteindelijk zegt Monty: 'We hebben hem niet gebeld.' Jon staart alleen naar de tafel.

'Ik kan hem wel even bellen,' zegt ze, terwijl ze naar haar tas graait.

Jon trekt haar dichter tegen zich aan. 'Ik denk dat je dat vanavond maar niet moet doen,' zegt hij.

'Wat is er aan de hand?' vraagt ze.

Monty leunt naar voren met zijn ellebogen op tafel. 'Ze kan het net zo goed weten,' zegt hij tegen Jon. 'Daniel blijkt een beetje een ziekelijke leugenaar.'

'Monty,' sist Jon.

'Gaat dit soms weer over die tijdschriften?' vraagt Delia.

'Nee, het gaat over het verhaal dat hij van internet heeft geplukt om op mijn feestje voor te lezen.'

'Aha, Natalie,' zegt Delia, de naam door haar tanden persend.

'Ze houdt dat soort dingen bij. Ze leest een hoop bladen.'

'Wat doet ze haar werk toch goed,' smaalt Delia, waarbij ze wegschuift van Jon en naar haar glas grijpt.

'Er is geen reden om boos op haar te worden,' antwoordt Monty op een toon die het bloed onder haar nagels vandaan haalt. 'En ook niet op mij, trouwens. Ik vond alleen dat je moest weten dat hij helemaal geen schrijver is.'

'Nou, dat weten we niet,' zegt Jon.

'Nee, inderdaad,' zegt ze tegen hen. 'Misschien vindt hij het wel eng om uit eigen werk voor te lezen? Het is niet gemakkelijk om voor een groep te gaan staan. En zo goed kent hij ons nou ook weer niet.'

'Nee, inderdaad,' zegt Monty bits. 'En wij kennen hem niet.'

'Jon?'

Ze weet niet eens wat de vraag is, maar als ze zich naar hem toedraait, begint hij z'n hoofd te schudden. 'Lieverd, je weet dat ik het een aardige jongen vind, maar een beetje vreemd is hij wel. Maar dat maakt nu niet meer uit, toch? Hij was leuk voor de zomer en jij gaat naar New York.'

'En hij ook,' zegt ze. En deze opmerking veroorzaakt een onverklaarbare blik vol afgrijzen op beide gezichten. 'Ik heb z'n roman gelezen,' zegt ze. 'Het is een heel goed verhaal. Scherp, interessant, spannend.' Ze liegt, maar de leugen heeft niet het beoogde effect.

'Waarom verhuist Daniel naar New York?' vraagt Jon.

'Voor z'n werk,' zegt ze. 'Een of andere Italiaanse bank...'

'Bank Rome?' vraagt Monty, en ze knikt. 'Het duurt nog minstens drie jaar voordat Bank Rome in Amerika haar deuren opent. Minimaal.'

'Hij is bezig met de voorbereidingen,' zegt Delia tegen hem.

'Dat was ik ook,' zegt Monty. 'Maar straks niet meer, omdat het hoofdkantoor in Boston is. Niet in New York.'

Waarom doen ze dit? wil ze vragen. Waarom kunnen ze haar niet met rust laten? Monty weet niet alles. Misschien heeft Daniel wel gewoon zin om te verhuizen. Of gaat hij voor een ander kantoor werken. Of misschien wil hij wel gewoon bij haar zijn. Bijna zegt ze het, maar het lukt niet. Haar keel zit plotseling potdicht, haar hele lijf voelt warm.

'Lieverd, vind je niet dat Daniel misschien iets te hard z'n best doet, misschien iets te behulpzaam is?'

'Weet je, ik kan wel iets ergers bedenken,' zegt Delia,

waarop ze haar tas pakt en in één ruk door van de bank schuift. 'Bedankt voor jullie oprechte bezorgdheid, maar ik zit niet op nog meer advies te wachten. Ik weet wat ik doe.'

De frisse lucht die haar buiten begroet, is als een balsem, en Delia voelt hoe haar lichaam bijkomt terwijl ze zich over Mass. Ave. naar Porter Square Station haast. Wat ze nu precies doet, weet ze niet, maar ze weet wel wat ze met haar leven gaat doen. Het verleden achter zich laten. En dat geldt ook voor alle veroordelingen – van haar vader, Graham, Monty en nu zelfs Jon. Ze heeft er genoeg van om bekritiseerd en neergehaald en als een kind behandeld te worden. Misschien heeft Daniel wel het een en ander uit te leggen. Maar hij gelooft in haar. Het is de vraag of dat genoeg is voor altijd, maar vooralsnog is het een hoop waard.

Daniel

Jullie zwijgen allebei als ze aankomt. Haar ogen zijn rood, haar wangen gevlekt van de tranen, en je houdt haar in een stevige omhelzing die je ontroert. Nog voordat ze je appartement binnenstapt, vertelt ze je dat ze weg is bij Graham, en je wrijft over haar rug en zegt dat alles goed komt. Dan breng je haar naar de tafel, en vertelt ze je dat Graham het nog steeds voor geld met mannen doet, en je wilt op je knieën vallen en de lucht kussen. Maar in plaats daarvan luister je rustig. Je legt een hand op Delia's schouder en blijft in je rol. En nu je erover nadenkt, valt alles op z'n plek. Daar moet de auteur de afgelopen dagen zijn geweest. Bij het vastleggen van Grahams neergang. Het scheppen ervan.

'Deze keer is het echt voorbij,' zegt ze.

Het is zo smetteloos, zo perfect. Eerst slaat hij die audities af – dat was een test – en nu, op dit keerpunt in haar leven, laat hij zien wat hij werkelijk waard is. Meer kan hij niet. Hij is volslagen ongeschikt voor haar.

Voorzichtig manoeuvreer je door haar vragen zodat je de antwoorden kunt geven die ze blijkbaar wil horen. Ja, ze moest Graham wel verlaten. En ja, Monty was ontzettend ongevoelig. Hij heeft het recht niet haar te veroordelen. En ja, Graham gaat het redden in z'n eentje. En zij ook. En ja, ja, ze zou inderdaad naar New York moeten verhuizen. Er is zo veel wat je haar wilt vertellen, maar je doet het niet. In plaats daarvan is zij degene die jou door het gesprek leidt en dan naar de slaapkamer, waar ze zich uitkleedt tot op een grijs T-shirt en een roze ondergoedsetje en jou vraagt haar vast te houden.

De hele nacht lig je daar met haar, je borst tegen haar rug, je armen om haar middel, je handen die haar koude vingers warmen. Je luistert naar haar ademhaling, het potloodgekras van de auteur. En in de sluimer van de dageraad zijn jullie bewegingen volstrekt natuurlijk en vanzelfsprekend: je vingertoppen tegen haar arm, haar handpalm op je dij, je hand onder haar shirt, een zoen achter in haar nek. Ze rolt zich op haar rug, haar handen volgen de zijkant van je lichaam. Het voorspel is lang, ongecompliceerd en als in een droom. En wanneer de paar resterende kledingstukken zijn uitgetrokken, hoef je niet te vluchten naar de badkamer of te twijfelen aan de intenties van de auteur. Jij en zij hebben elkaar lief als twee geliefden, twee mensen die elkaar vreselijk nodig hebben. Als twee mensen die aan het slot van het boek nog lang en gelukkig leven. Je bent diep in haar, in haar lichaam, haar geest en hart. Ze hijgt, kreunt zo nu en dan, en je kijkt hoe haar gezicht zich spant en ontspant. Je probeert je een voorstelling te maken van de verfilming van het boek en vraagt je af hoe deze scène gaat uitpakken, wat de soundtrack wordt, of je muziek had moeten opzetten, maar dan schuif je de gedachten van je af. Jij bent wat ze nodig heeft, en je weet dat zij dat weet. Jij zult voor haar zorgen, in alle opzichten. 'Ik hou van je,' zeg je tegen haar. 'Ik hou van je.'

Na afloop ligt ze met haar hoofd op je borst, en een hele poos ga je met je vingers door haar haren. Je weet niet zeker of ze wakker is, maar dan vraagt ze: 'Zou je ook naar New York verhuizen als ik niet ging?'

Je aarzelt maar even. 'Nee,' zeg je, en je weet dat dit het juiste antwoord is omdat ze met haar wang langs je borst wrijft en je stevig vasthoudt. Je vraagt wat je naar haar eerste optreden zult meebrengen, rozen of lelies of misschien... Hoe zien orchideeën eruit? vraag je, en ze lacht. Een boeket orchideeën kun je niet meebrengen, zegt ze tegen je. Misschien probeer je dat toch, zeg je. Waar zul je haar mee naartoe uit eten nemen na haar debuut op Broadway? Een chique gelegenheid? Of een klein kroegje ergens waar niemand je kan vinden? 'Mmm, nou heb ik honger,' zegt ze tegen je. En met tegenzin maken jullie je los van het bed.

Ze zit in je badjas terwijl jij je over de eieren en koffie ontfermt, terwijl jij de appels in partjes snijdt en brood roostert. Je geeft haar een vlug kusje achter haar oor voordat je gaat zitten. 'Ik ben blij dat je er bent,' zeg je tegen haar.

'Ik ook,' zegt zij.

'En ik ben blij dat je naar New York wilt verhuizen. Wat moet je nog allemaal doen voordat je kunt vertrekken?'

'Nou,' zegt ze, 'ik denk niet dat ze bij de stichting nog echt verwachten dat ik terugkom. En volgens mij is er geen haast met het huis leeghalen totdat de notaris zegt dat we het te koop kunnen zetten. Ik snap niet wat het afhandelen van een erfenis zo ingewikkeld maakt. Behalve een paar goede doelen gaat het verder alleen om Charlie en mij. Pap had niet veel schulden en er is niet veel meegenomen bij de inbraak – op mijn moeders juwelen na dan. Dat is wel echt naar. Daar hield ik vroeger verkleedpartijtjes mee. Pap ging dan over de rooie,' zegt ze, in zichzelf lachend, 'maar mijn moeder vond het een giller. Ik op haar hoge hakken met een enorme smaragd opgespeld in de achtertuin... Ik stelde me altijd voor dat ik die broche op een dag naar de Tony-uitreiking of Carnegie Hall zou dragen. Zodat ik een stuk van mam bij me zou hebben. Maar goed, ik denk maar zo, het zijn maar spullen.'

'Nou ja, het merendeel wilde je verkopen, toch?' vraag je.

'O, nee,' zegt ze. 'Dat had ik nooit gekund.'

'Maar ik dacht dat je zei...'

'Nee, dat waren maar praatjes.' Ze eet niets, nipt alleen van haar koffie en staart in de lucht. Je moet nu iets zeggen. Iets begripvols en liefdevols.

'Nog wat koffie?' vraag je.

'Ja hoor,' zegt ze.

Dat was hartverwarmend. Je schenkt haar kop vol en gaat weer zitten.

'We zouden iets voor met z'n tweeën kunnen zoeken, als je dat wilt,' zeg je zonder op te kijken. 'Ik wil niet op de zaken vooruitlopen. Maar gewoon om te beginnen, om te kijken hoe...'

'Ja,' zegt ze. 'Dat lijkt me prima.'

Dit wordt allemaal geschreven. Precies zo geschreven als jij had gehoopt. Je bent gestopt met het smeren van de boter op je toast, je handen roerloos in de lucht in een gekke houding. Alsof je een mimespeler bent. Dus dwing je de ledematen om door te bewegen en werk je met moeite een droog stuk toast weg.

'Mag ik je wat vragen?' zegt ze – op een manier die je zorgen baart, maar je zegt: 'Natuurlijk.' 'Ik vind het vervelend om erover te beginnen,' gaat ze verder, 'maar... dat verhaal dat je op Monty's feestje voorlas. Dat heb je niet zelf geschreven, toch?'

Dit komt onverwachts, en na een stilte – die kort maar toch nog te lang is – lukt het je alleen om 'Wat?' te zeggen.

'Natalie heeft het op internet gevonden,' gaat Delia verder, en je voelt haar strakke blik door je voorhoofd snijden. Je kijkt omlaag naar de strepen eigeel die nu over je bord en het tafelkleed lopen. 'Het is oké, Daniel. Op mij hoef je geen indruk te maken. Het is oké als je geen gepubliceerd schrijver bent, echt waar. Maar ik wil de waarheid weten. Was dat jouw verhaal?'

'Nee,' zeg je. Het is pijnlijk maar het lukt je toch om het te zeggen. Jullie komen er wel overheen. Het komt goed. Ze kijkt je aan. Alles lijkt in orde.

'En is er wel echt een roman?' vraagt ze.

Die is lastiger. Een seconde gaat voorbij. Twee. Meer.

Dan: 'Ja,' zeg je. 'Ja. Er is een boek.'

Ze bestudeert je een minuut en je voelt hoe je begint te zweten, maar je veegt je voorhoofd niet af, wilt er de aandacht niet op vestigen. Delia kijkt omlaag naar haar toast, dan weer op en zegt: 'Mag ik het zien?'

'Nee.'

'Waarom niet?'

'Omdat het nog niet klaar is.'

'Dat maakt niet uit.'

'Maar ik kan het je niet laten zien. Het is nog heel...' Je zoekt naar een woord, speurt door wat in je hoofd is blijven hangen van Corrones handboek. Je hebt een schrijversword nodig. Je hebt een woord nodig als '... Ruw,' zeg je. 'Het is nog heel ruw. Ik zou me schamen.'

Ze knikt, maar er schuilt geen mededogen in. Haar blik is afstandelijk, behoedzaam, wantrouwend zelfs misschien. Je staat op en loopt naar de ijskast om jezelf wat bedenktijd te gunnen. Waarom doet de auteur dit? Alles ging zo goed. Je pakt een pot bosbessenjam en kamt langzaam de bestekla uit op zoek naar een lange lepel. Ze denkt dat je liegt. Daar heeft ze ook enige reden toe. Maar voor jou is dit niet best.

Wanneer je de lepel vindt en stopt met keukengerei heen en weer schuiven, hoor je dat het gekras is opgeschoven. Het bevindt zich niet meer boven jou of in de keuken. Je draait je om, maar Delia zit nog steeds achter je. Wat gebeurt er? Zonder haar aan te kijken volg je het geluid naar de zitkamer. Het gekras hangt in de kamer, of liever boven je bureau, boven – ja – het handboek van Corrone en je notitieboekje. Je grist ze allebei weg en neemt ze mee naar de keuken, waar Delia's blik van jouw gezicht naar de boeken in je hand gaat.

'Ik wil niet dat je iets leest,' begin je, 'maar...' Je bladert snel door het notitieboekje, waarbij je bladzij na bladzij vol marketingaantekeningen voorbij laat wapperen. In een tempo dat ze niets kan lezen. Het enige wat je wilt bewijzen, is dat je veel woorden hebt geschreven. 'Zie je wel,' zeg je. 'En hier heb ik een boek over schrijven, en...' Tussen de bladzijden van Corrones handboek zitten wat uitdraaitjes. Waarvan? Valse starts van je verhaal voor de salonavond. Zie je wel, die heb je niet voor niets bewaard! Je bladert naar de eerste bladzij. '"Het was 's avonds laat toen detective Mahoney het bureau binnenliep",' lees je voor. 'Het stelt niets voor, maar...'

Delia lijkt zich wat te ontspannen. Ze knikt. Ze gelooft je. 'Dus,' zegt ze, 'het is een detective?'

'Nee,' zeg je, 'dat was alleen maar een beginnetje.'

'Is het een liefdesroman?'

'Ja, hopelijk.'

'Wat geweldig. En hoe heet je personage? Gewoon zodat ik kan zeggen dat ik er iets van af weet als iemand ernaar vraagt.'

'Ehm...' Zo lastig kan dit niet zijn, maar je hoofd is leeg. Waarom heb je het niet gewoon op 'detective Mahoney' gehouden? Dat was een prima naam. Dit is niet moeilijk. Wat dacht je van... 'Thorgon.'

Nu glimlacht Delia. 'Thorgon?' zegt ze, met een beginnend lachje. 'Sorry hoor, ik wil je niet uitlachen, maar de naam van je hoofdpersonage is Thorgon?'

'Niet van mijn hoofdpersonage. Gewoon van iemand die, je weet wel, iemand die op een gegeven moment in het verhaal voorkomt.'

Delia gaat staan en loopt naar je toe. Even haalt ze haar hand door je haar. 'Dank je,' zegt ze. 'Monty en Jon zeiden dat ze dachten dat je helemaal geen boek aan het schrijven was, maar ik ben voor je opgekomen.'

Ze is voor je opgekomen. Dat is net geschreven. Om je heen hoor je het potlood krassen. 'Nou,' zeg je, 'er is wel een boek.'

'Dat weet ik,' zegt ze, en ze gaat op haar tenen staan en kust je voorhoofd.

De zucht in je gedachten is zo veel dieper dan de zucht die je tegenover haar zou kunnen slaken. Of op de bladzij zelfs. Je hoopt dat je wat zelfverzekerder bent overgekomen dan je je voelt. Want de eindstreep is in zicht. Ze wil met je samenwonen. Ze is voor je opgekomen. Dit is te gek. Ja, dit is te gek.

Je legt het notitieboekje en Corrones handboek terug op je bureau en begint de keuken op te ruimen. Delia droogt de borden af die jij wast. Jullie praten over huren in New York. Jullie praten over het verschil tussen Brooklyn en Manhattan, tussen Hell's Kitchen en Greenwich Village. Het is duur, zegt ze, maar dat is Boston ook, daar zijn jullie het over eens. Je zet de computer aan en jullie beginnen samen naar appartementen te zoeken, en na een tijdje maakt ze een uitdraai van een paar veelbelovende advertenties en begint wat rond te bellen, en je laat haar alleen om als eerste te gaan douchen.

Het gekras volgt je. Het klinkt luid of misschien luister je wel extra goed. Maar het is er. Het boek gaat verder. En waar gaat het slotmoment plaatsvinden? Bij het inladen van de auto wellicht. Bij het wegrijden over de snelweg. Misschien bij jullie nieuwe appartement in New York, wanneer jij de deur voor Delia openhoudt, zoals je die avond van jullie eerste ontmoeting meerdere malen deed. Dat zou een mooie – hoe heet dat? Herhaling? – echo van de eerdere scène zijn.

Je droogt je vlug af. Je schiet in een spijkerbroek en T-shirt. En als je de zitkamer weer binnenloopt om te kijken hoe het met Delia's telefoontjes is gegaan, zie je haar achter de computer zitten met je notitieboekje in haar hand.

'Dit gaat allemaal over Vector Microsystems,' zegt ze tegen je. 'En Bank Rome. Ik zie hier boodschappenlijstjes staan, Daniel. Als dit het ruwe materiaal is voor een roman, is het wel godvergeten saai.'

'Delia...'

'God, wat is het toch dat mensen altijd tegen me liegen?' Ze is gaan staan, met je notitieboekje in haar hand, en kijkt in je binnenste, dwars door je heen. 'Ik meen het,' zegt ze. 'Ik zou het graag willen weten.'

Waarom gebeurt dit? Waarom heb je het notitieboekje weer op je bureau teruggelegd? Je had het moeten verstoppen. Waarom heeft de auteur je dit laten doen? Je moet nu iets doen. Je moet dit rechtzetten. Misschien – nee, dat kun je niet. Maar misschien moet dat wel. Ja, laat de waarheid maar naar buiten komen, zegt een stem in je hoofd. Spreekt hier je geweten of de auteur? Je weet het niet zeker, misschien vallen ze samen. Vertel het haar, zegt de stem. Het komt goed. En je kunt daar niet maar gewoon blijven staan, want haar blik is een en al ongeloof, en een paar minuten geleden wilde ze nog met je naar New York verhuizen, van je houden. Je moet het zeggen. In gedachten kun je je een voorstelling maken van de woorden, onderstreept, gekrabbeld in de kantlijn. Dit is de scène waarin Daniel zegt...

'Wij zitten in een boek.'

Zodra de woorden eruit komen, weet je dat er meer uitleg nodig is. Ze scheppen verwarring in plaats van iets te verduidelijken. 'Ik bedoel, er is echt een boek,' zeg je tegen haar. 'Het is alleen zo dat wij erin zitten. Het wordt geschreven. Terwijl wij hier staan.'

Delia lijkt het nog steeds niet te kunnen volgen. Je moet het haar uitleggen zonder haar verder van slag te maken. Maar het is belangrijk dat ze het begrijpt. Ze zal zo opgelucht zijn als ze het eenmaal begrijpt.

'Ik weet dat het raar klinkt,' zeg je op je meest geruststellende toon. 'Maar we bevinden ons in een boek, en de reden dat ik dit weet, is omdat ik de auteur kan horen – beter gezegd, het potlood. Ik kan het horen wanneer de auteur zit te schrijven omdat ik het potlood kan horen. Iets wat de meeste mensen niet kunnen horen, geloof ik. Kun jij het horen? Luister.'

In de stilte zijn er alleen Delia's grote ogen, het geronk van een auto die buiten langsrijdt, en het gekras van het potlood.

'Wat moet ik horen?'

'Gekras. In de lucht.'

Delia knijpt haar ogen samen. Wat betekent dat? Het ziet er niet goed uit. 'Nee,' zegt ze. 'Ik hoor helemaal niets.'

'Ik weet dat het vergezocht klinkt. Ik heb er zelf eindeloos lang over gedaan om het te accepteren.'

'Dus jij zit ín een boek?'

'En jij ook,' zeg je. 'Wij allemaal. We zijn alleen niet altijd op de bladzij. De auteur is er soms wel en soms niet, pikt het verhaal op en laat het weer vallen – zoals dat nou eenmaal gaat in een boek. Maar op dit moment zijn wij wel op de bladzij. Dit alles wordt geschreven. Deze hele conversatie. Neem een slok koffie.'

Delia staart je aan, roerloos.

'Doe nou maar. Alsjeblieft.'

Langzaam reikt ze achter zich naar haar beker op het bureau, neemt een klein slokje, zet hem dan weer neer. Ze blijft je strak aankijken.

'Zie je wel, dat was geschreven. De auteur zat de hele tijd te schrijven.'

Delia zegt eerst niets. Dan, langzaam: 'Dus al die tijd heb jij geen boek zitten schrijven, maar heb je in een boek gezeten?' Haar toon is nuchter. Ze begint het te snappen.

'Precies,' zeg je. 'Eerst dacht ik dat het jouw boek was, dat ik er misschien alleen even in voorkwam,' leg je uit,

'maar inmiddels denk ik dat het óns boek is.' Het lukt je
niet een trotse grijns te onderdrukken. 'Het spijt me dat ik
tegen je heb gelogen. Ik ben niet echt een kunstenaar, ik
weet het. Maar ergens heb ik wel een gave. Alleen op een
ander vlak.'

'Waar gaat het boek over, Daniel?'

Het is een hoop voor haar om te bevatten, dat weet je.
'Het gaat over hoe wij verliefd op elkaar worden,' zeg je.
'Eerst dacht ik dat het ging over hoe een onbekende langskwam en jullie allemaal hielp met het verwezenlijken van
jullie dromen en met het behalen van successen, maar toen
wilde Graham die audities niet doen, en Jon was wat af-
houdend.'

Ze knikt nu een beetje. 'Jij hebt die promotie voor Monty geregeld, hè?' zegt ze.

'Ik wilde alleen zorgen dat er iets zou gebeuren. Jullie
zijn stuk voor stuk slim, geestig en getalenteerd, en jij hebt
zulke spannende dromen, maar niemand deed er echt iets
mee. En in een boek moeten mensen dingen doen en een
ontwikkeling doormaken. Je kunt niet het hele verhaal lang
hetzelfde blijven. Maar nu Monty naar New York verhuist,
en nu wij, nu is het overduidelijk. Dit is het boek over per-
soonlijke ontwikkelingen. Het Boston-boek, het adoles-
centieboek, het liefdesverhaal. En het vervolg gaat over succes.' Het idee is je net te binnen geschoten. Maar Corrone
zegt dat een commercieel veelbelovend schrijver altijd een
aanzet tot een vervolg moet geven, en dat is vast wat er nu
gebeurt. 'Het volgende boek wordt het New York-verhaal,'
zeg je tegen haar. 'Jouw weg naar de top. Met je debuut in
Carnegie Hall met de broche met smaragd.'

'Ik héb die broche niet, Daniel,' schreeuwt ze zowat.

'Dat weet ik, maar ik wel.'

Dat had je niet moeten zeggen. Waarom heb je dat nou gezegd? Je hebt niet eens gevoeld hoe de woorden in je hoofd ontstonden. Of werden gestopt. Erin en eruit in één haal van het potlood.

'O, mijn god,' mompelt Delia, waarbij ze haar handen naar haar gezicht brengt. 'O, mijn god.'

Je moet dit rechtzetten. Je gooit het er allemaal veel te vlug uit. En overal om je heen dat gekráááás.

'Het ging totaal anders dan ik had verwacht,' vertel je haar. 'Ik probeerde alleen maar die juwelen voor je te pakken. Zodat je onafhankelijk zou zijn. Je zei dat ze van jou waren en ik dacht, als ze gestolen worden, hoef jij je geen zorgen te maken dat je er ruzie over moet maken met je vader. Maar ik wilde het aan jou overlaten. We hadden ze terug kunnen leggen. Maar toen kwam hij thuis en liep het uit de hand...'

'Ik heb je precies verteld waar het pistool lag,' zegt ze, haar blik op de tafel gericht.

'Maar dat heeft de auteur je laten doen. Het is niet alsof jij tegen me hebt gezegd: ga er maar naartoe en schiet maar – en dat wilde ik ook niet. Geloof me, dat was ik niet van plan. Maar ik denk dat de auteur dacht dat als je vader niet meer in beeld was, dat jij dan kon...'

Hou je mond. Je moet haar kalmeren. Haar ogen zijn rood, ze bijt op haar onderlip, ze begint te huilen. Ze draait door. Dus snel je naar de slaapkamer en trek je de juwelendoos uit de koffer onder je bed. Als je in de zitkamer terugkomt, staat ze met haar kleren in haar handen. Ze pakt de juwelendoos aan en drukt die tegen haar borst, maar maakt 'm niet open. 'Ik moet gaan,' zegt ze.

'Nee,' zeg je tegen haar, 'nee, je begrijpt het niet. Het is nu eenmaal zo gegaan. Ik weet dat het naar is, maar nu ben je vrij. Het is niemands schuld.'

Er staan tranen in haar ogen. Ze kijkt je niet aan.

'We gaan toch nog steeds naar New York?' vraag je.

Delia bijt op haar lip en knikt.

'Waar ga je heen?'

'Wat... wat spullen halen.'

'Ik zal je helpen,' zeg je. 'Misschien dat Graham onaardig doet. En je bent overstuur.' Ze ziet er zo overweldigd en breekbaar uit. Maar ook zo lief.

'Nee, het lukt wel.'

'Ik hou van je,' zeg je nogmaals. Tonen, niet zeggen. Toon het haar. Je pakt haar bij haar middel en trekt haar naar je toe om jezelf te helpen herinneren hoe de kus voelde, om het haar te helpen herinneren. Maar haar mond voelt slap tegen jouw mond, haar tong lam.

'Daniel, ik moet gaan,' zegt ze weer.

Van dichtbij zie je de bruine uitgroei in haar haren. Ze heeft nog steeds je badjas aan en ergens ziet ze er niet veel ouder uit dan het meisje op de foto bij haar vader thuis.

'Laat me gaan,' zegt ze. 'Alsjeblieft. Ik zal het aan niemand vertellen.'

'Ik weet niet zeker of je het wel begrijpt,' zeg je. Je houdt haar wat minder stevig vast maar kunt haar nog niet laten gaan.

'Jawel,' zegt ze. 'Ik begrijp het.' Even kijkt ze je aan, haar ogen rood, donker en vochtig.

'Ga je alleen maar even wat spullen halen?'

'Ja, dat beloof ik,' zegt ze, en ze maakt zich los uit je omhelzing. 'Ik ben zo weer terug,' voegt ze er nog aan toe. Dan grist ze haar tas van de bank, schiet in haar kleren en snelt de deur uit en de trap af. Zonder te zeggen dat ze ook van jou houdt.

Een minuut sta je te kijken naar de open deur, te luisteren naar het gekras om je heen, en vraag je je af of alles is ingestort. Misschien heeft de auteur op het laatste moment het roer omgegooid. Het zou kunnen.

Maar nee, zo gaat het nu eenmaal in boeken. Op het laatste moment nog een crisis voordat alles afloopt zoals je had gehoopt. Net als Corrones eerste maffiaroman. Je wilt de hele tijd dat Alfonso eindigt met Carla, maar dan net tegen het slot is er die scène met die vleessnijmachine en lijkt het onmogelijk dat ze het overleefd heeft, het bloed druipt van de pagina. Maar jawel, nadat Alfonso zijn broer heeft vermoord, vindt hij Carla die zich in de bakkerij heeft verstopt, waar blijkt dat ze slechts twee vingers mist, en dan ook nog eens twee die je eigenlijk best kunt missen.

Dus het is net als bij jou en Delia – maar dan minder bloederig. Op dit moment zou je denken dat het niet goed gaat komen, maar dat komt het wel. Ze moet een hoop verwerken, dat is zeker zo, maar voor jou was het ook niet gemakkelijk toen je voor het eerst begreep wat het gekras inhield. Ze komt wel terug. Ze voelt de klik. Zij is degene die jou heeft verleid destijds. Zij kwam gisteravond naar jou. De gelukkige ontknoping komt nog. De auteur moet iets bewaren voor de slotscène.

Een paar uur later sta je voor je open kastdeur overhemden uit te zoeken om aan een goed doel te geven. Je gooit er twee op het bed naast een stapel sweaters en oude polo's, legt er dan nog snel twee bij. Waarschijnlijk moeten jullie het met een klein appartementje doen in New York, geen ruimte voor troep dus. Monet gaat eruit, net als de helft van je garderobe. Je cv heb je al gemaild naar een paar headhunters in New York en naar de directeur van de bank die zo onder de indruk leek van je laatste presentatie. Het zou moeten lukken je appartement onder te verhuren als je niet onder het huurcontract uit kunt komen. Grootste deel van de meubels gaat ook weg.

Ze is niet boos, zeg je voor de miljoenste keer tegen jezelf. Ze vroeg je om eerlijk te zijn – ze verdient je eerlijkheid. Ze heeft je verteld over Graham; dan is het niet meer dan fair dat jij ook eerlijk bent tegen haar. Dat is op de lange duur ook beter voor jullie relatie. En ze zal niets tegen de jongens zeggen. Dat zou zo ongemakkelijk zijn, en hoe zou ze het kunnen uitleggen – het boek, de auteur? Ze zal niets zeggen. Ze heeft je nodig.

Je houdt een broek omhoog die je niet bekend voorkomt, trekt dan snel je spijkerbroek uit om 'm te passen. Te flodderig, totaal niet flatteus. Dus leg je de broek bij de stapel op het bed en past dan een andere broek. Die is best, maar een beetje ruim.

Ze neemt de tijd, maar het gekras is net weer teruggekomen, dus je verwacht haar elk moment. De auteur is haar waarschijnlijk gevolgd om de laatste afscheidsscène met Graham te schrijven. Je ziet voor je hoe hij staat te fulmineren, hoe Delia je verdedigt. Daarom duurt het vast zo lang.

Je vraagt je af of het vervolg direct zal aansluiten of op een later tijdstip zal beginnen. Misschien begint het als jij en Delia eenmaal gesetteld zijn in New York. Waarschijnlijk trouwen Monty en Natalie wel in de tussentijd. Misschien moeten jullie dat ook maar doen? Nee, dat kan maar beter worden bewaard voor het vervolg. Jon zou ook in het volgende boek kunnen zitten. Het zou kunnen dat hij overal nog eens rustig over nadenkt, ziet dat Delia succes heeft en dan besluit het nog eens te proberen met acteren. Je hebt straks allemaal nieuwe artistieke vrienden: acteurs en zangers en schrijvers en – misschien moet je proberen een roman te schrijven. Je weet nu hoe het in z'n werk gaat. Er gaat veel meer planning aan vooraf dan je had gedacht, zaadjes planten en de tuin water geven en dat soort dingen, maar nu je er eentje praktisch van begin tot einde hebt meegemaakt, zou het je moeten lukken. Gewoon beginnen. En als je eenmaal begonnen bent, kun je niet meer stoppen. Dat zegt Corrone. Perfect. Dat zal ze leuk vinden.

Die ribbroek is best aardig. Waarom draag je die nooit, vraag je je af terwijl je hem uittrekt en terughangt aan de kleerhanger.

Je beent naar de keuken en even sta je jezelf toe je zorgen te maken dat Delia misschien niet terugkomt. Het is mogelijk. Al wijst alles op een happy end. Je pakt brood en een blikje tonijn uit de provisiekast. Misschien is de mayonaise niet goed meer, denk je, als je de deur van de ijskast opendoet. 'Als ze op weg hiernaartoe is, is de mayonaise bedorven.' Je wacht een tel en werpt een blik in de zitkamer. 'Oké?' zeg je. Maar je wacht niet op een reactie. Je draait de deksel van de pot en één keer snuiven is voldoende om te weten wat je toekomst is. Vanavond zul je haar weer beminnen. Misschien al eerder. Elk moment nu.

Bij wijze van antwoord hoor je buiten een geluid. Een autoportier. Ze was eerst met de metro – maar nu moest ze natuurlijk met de auto terugkomen zodat ze al haar spullen kon meenemen. Dat had je moeten bedenken. Je had erop moeten staan haar te helpen. Vanuit het zitkamerraam kun je haar niet zien, maar meestal zijn er meer parkeerplaatsen aan de andere kant van het gebouw. Je luistert aandachtig of je de auteur hoort. Het potlood krast nog steeds – sneller zelfs, als je je niet vergist. Voetstappen op de trap. Je hart gaat tekeer. Eén boek tegelijk, en dit boek staat op het punt te eindigen. Dit is zo'n moment waarvan je denkt dat het nooit komt, en ineens is het zover.

Maar je bent voorbereid. Gewoon rustig zijn, zeg je tegen jezelf, terwijl je beheerst naar de zitkamer loopt. Wacht tot ze aanklopt.

Deze gedachte wordt bijna direct gevolgd door een snelle klop op de deur en je haalt diep adem. Het is allemaal zo snel gegaan. Nu al, de liefdesscène tot slot. Langzaam steek je je hand uit naar de deurknop, klaar voor de kus die je zal begroeten.

Dankwoord

Duizendmaal dank aan mijn literair agent, Bill Clegg, en mijn redacteur, Marjorie Braman, die met zo veel inzicht hebben gelezen en me met zo veel enthousiasme hebben gesteund. Veel dank ook aan iedereen bij Harper Perennial en de William Morris Agency.

Heel veel dank aan drie fantastische professors, Wilton Barnhardt, Angela Davis-Gardner en John Kessel, voor hun begeleiding die van onschatbare waarde is geweest bij de totstandkoming van dit boek. Dank ook aan alle anderen die zich door klad- en gecorrigeerde versies heen hebben geslagen, met name Tommy Jenkins, Penelope Robbins, Jodi Lynn Villers en Brent Winter.

Ik wil twee van mijn belangrijkste schrijfdocenten bedanken, Linda Hobson en Doris Betts. Daarnaast ben ik het Weymouth Center for the Arts & Humanities dankbaar voor de schitterende werkplek die ik mocht gebruiken, en Virginia Barber, David Ferriero, Chris Hildreth, John Piva, Sheila Smith McKoy en Peter Vaughn voor hun hulp onderweg.

Tot slot wil ik mijn meest vooringenomen supporters bedanken: mam en pap, Allison en Nancy, oma en tante Betsy, Jean en Rachel, en Austin, die ervoor zorgt dat ik blijf lachen.